PRAIA MAR

해변과바다

그림책공작소

베르나르두 카르발류

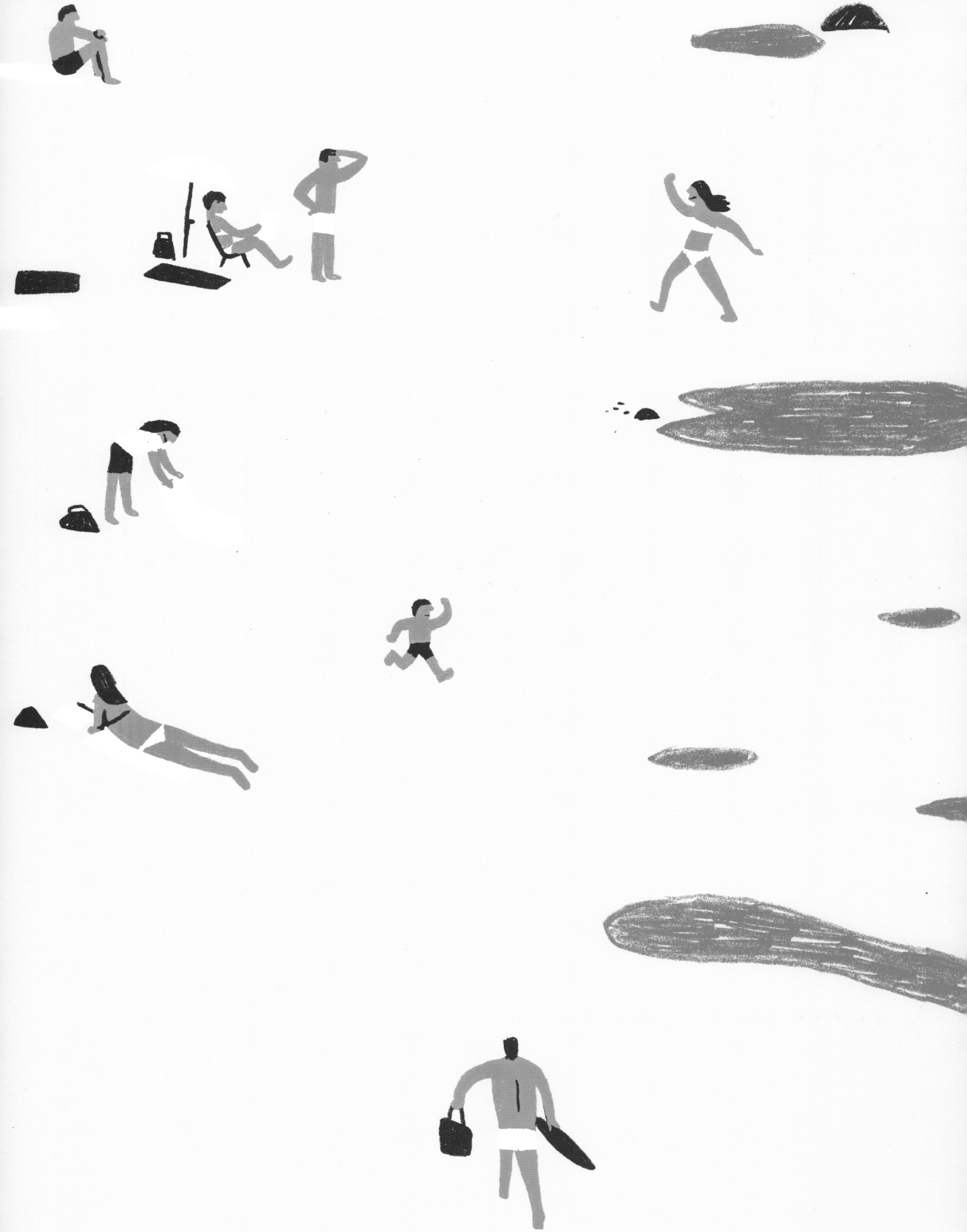

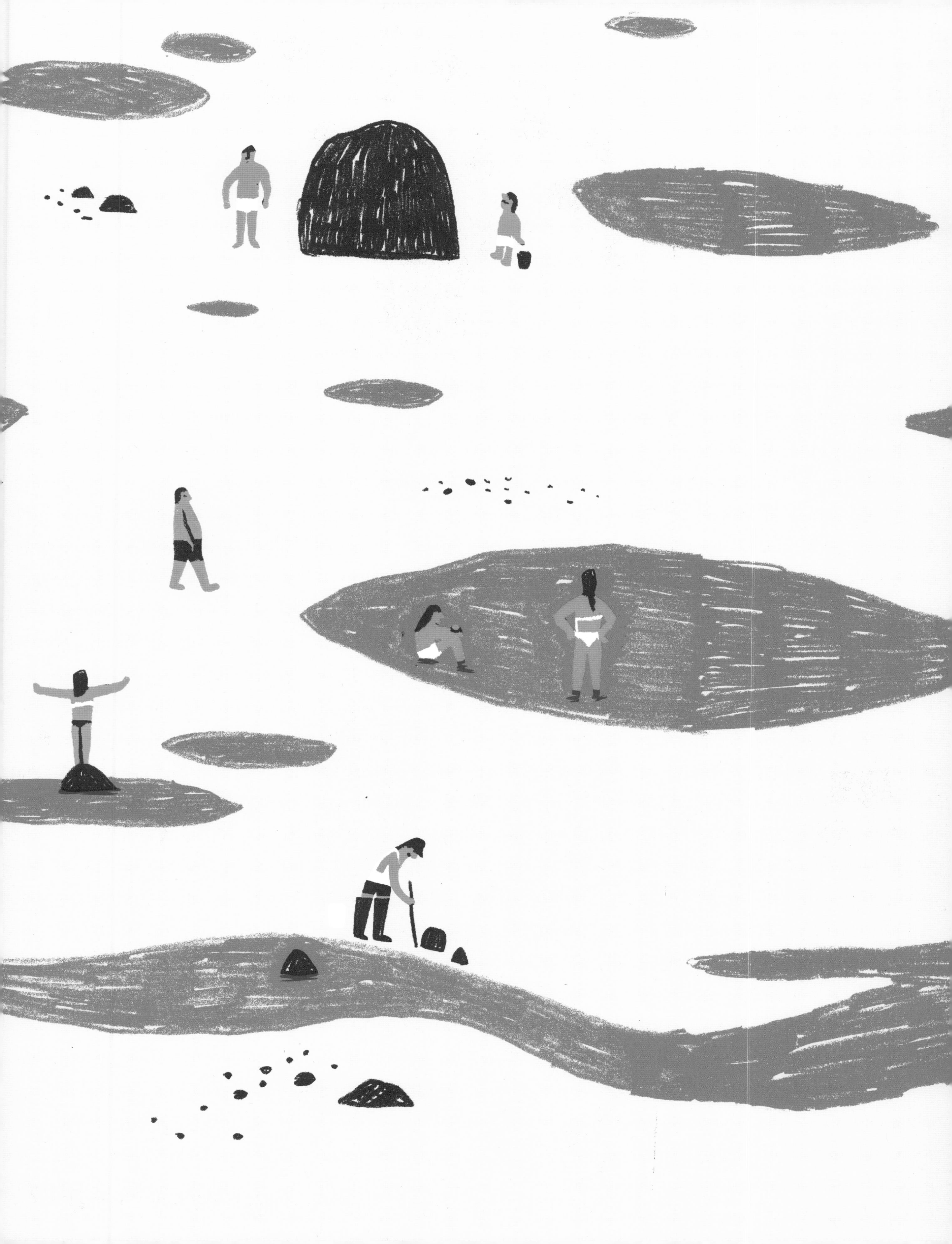

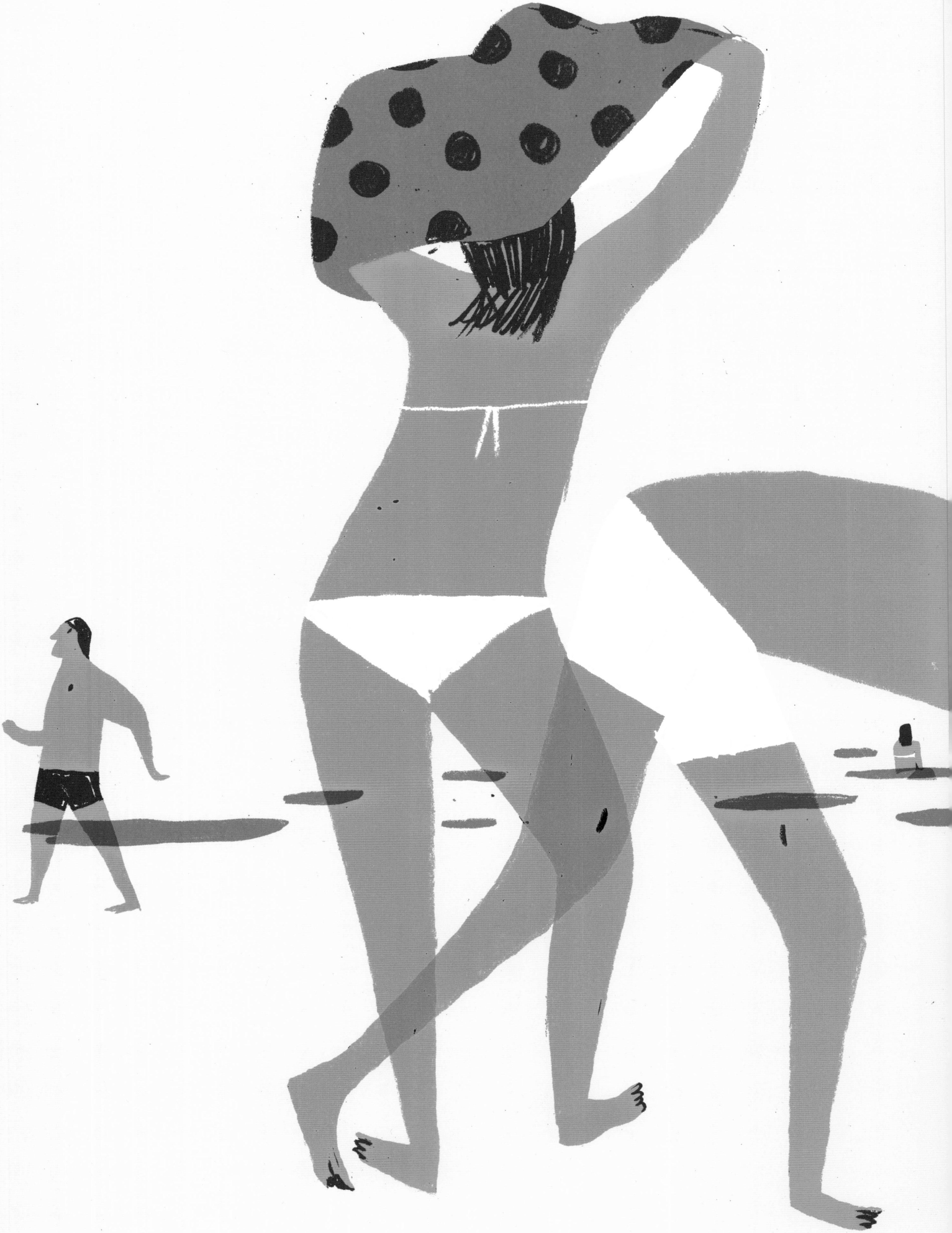

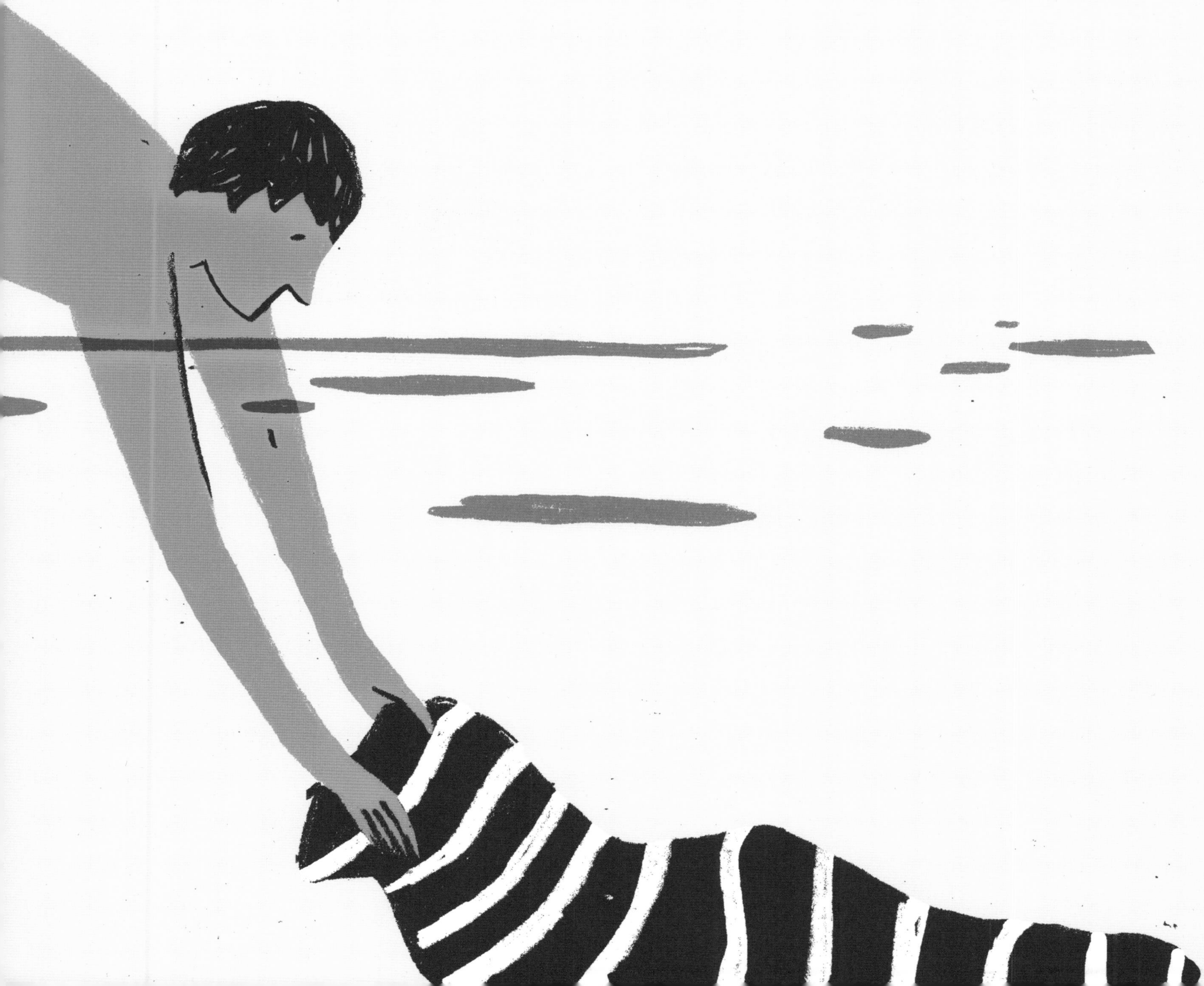

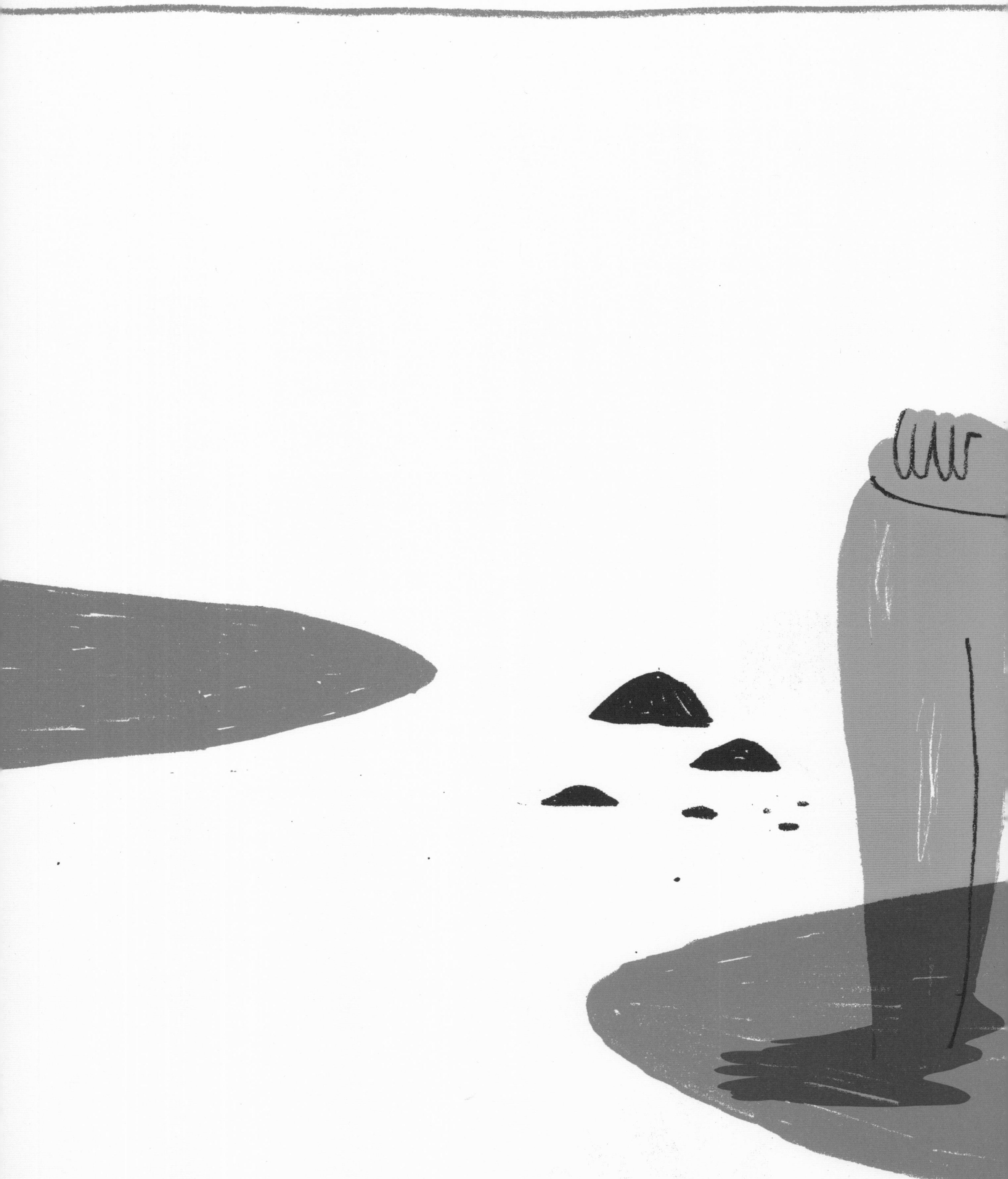

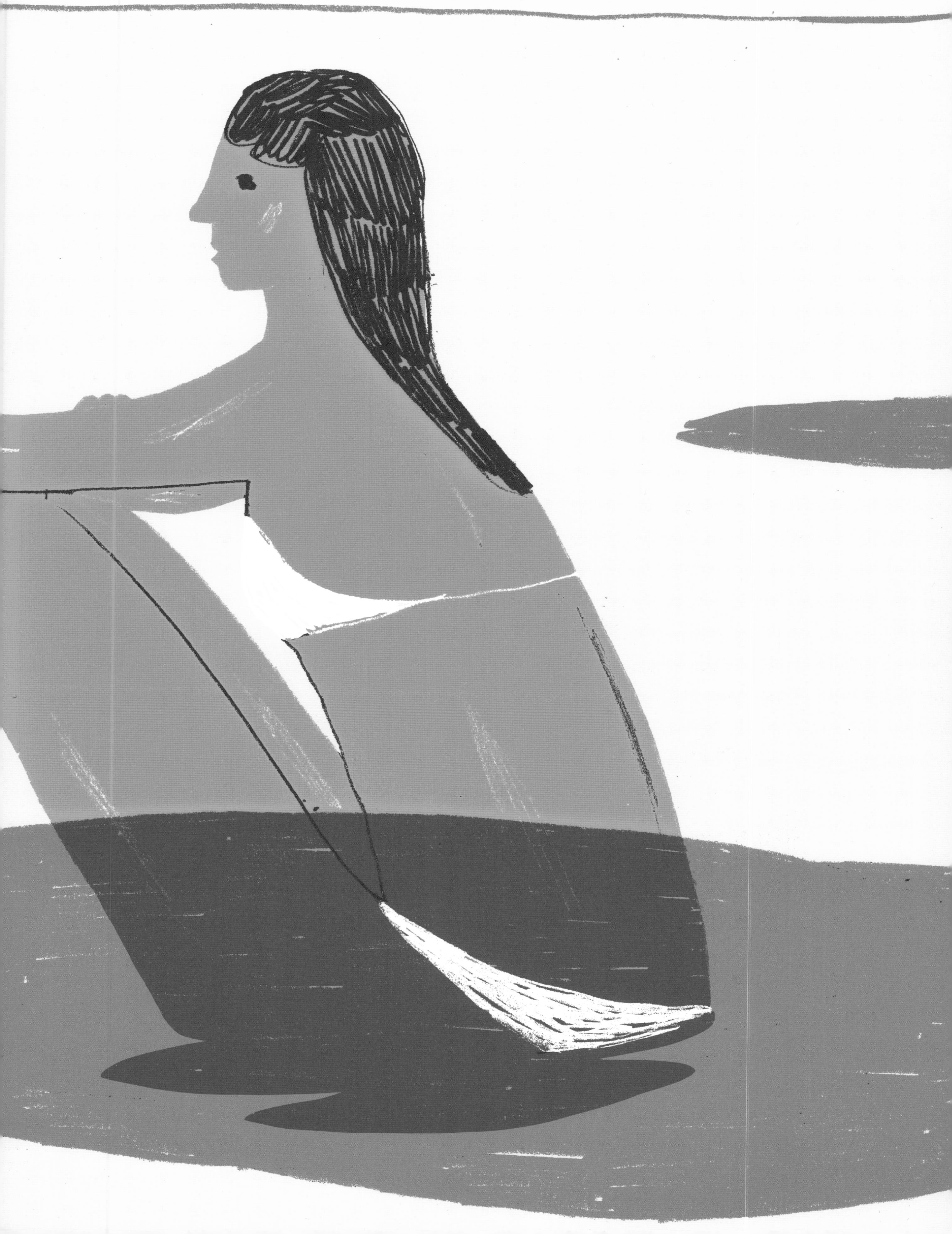

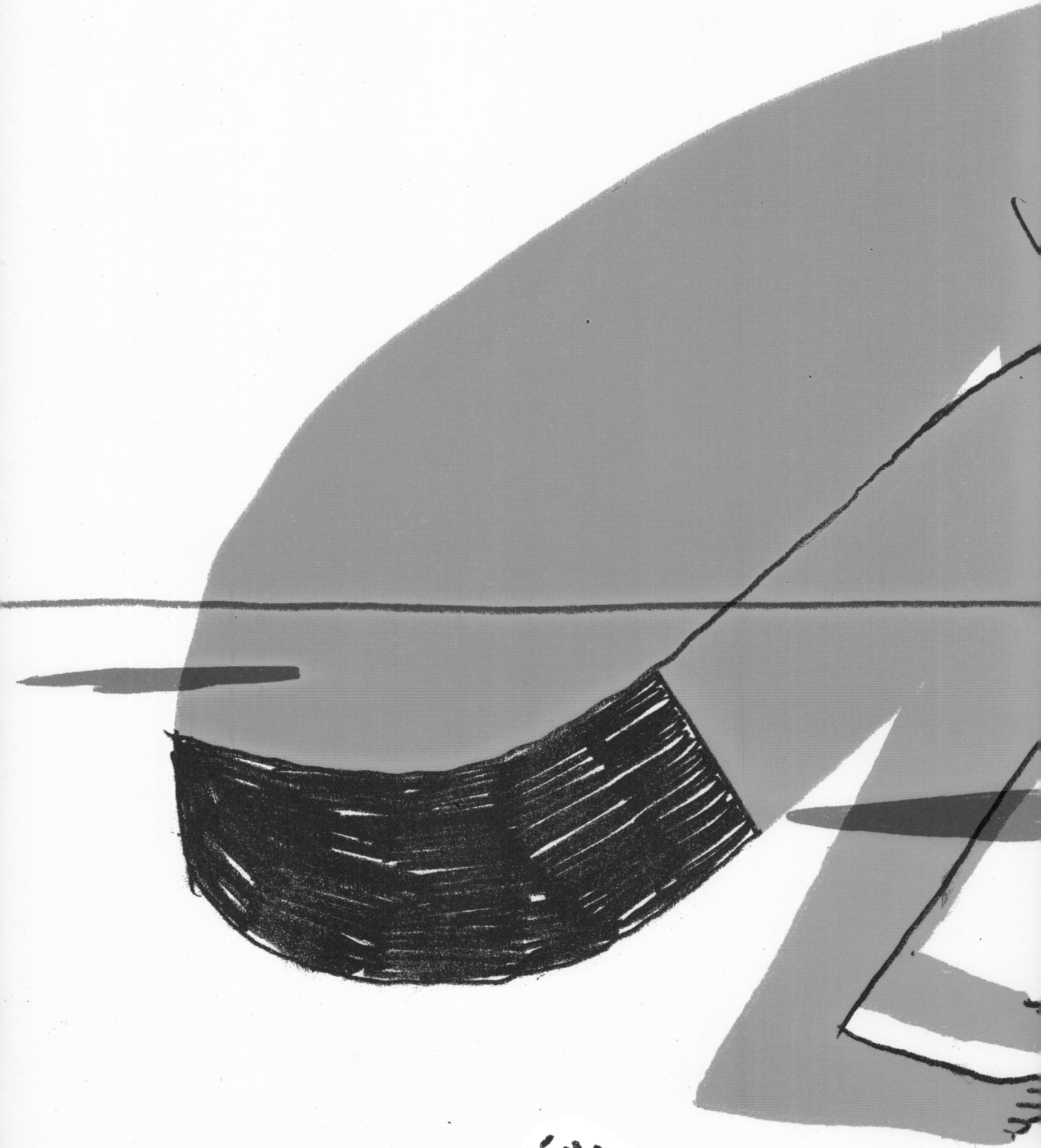

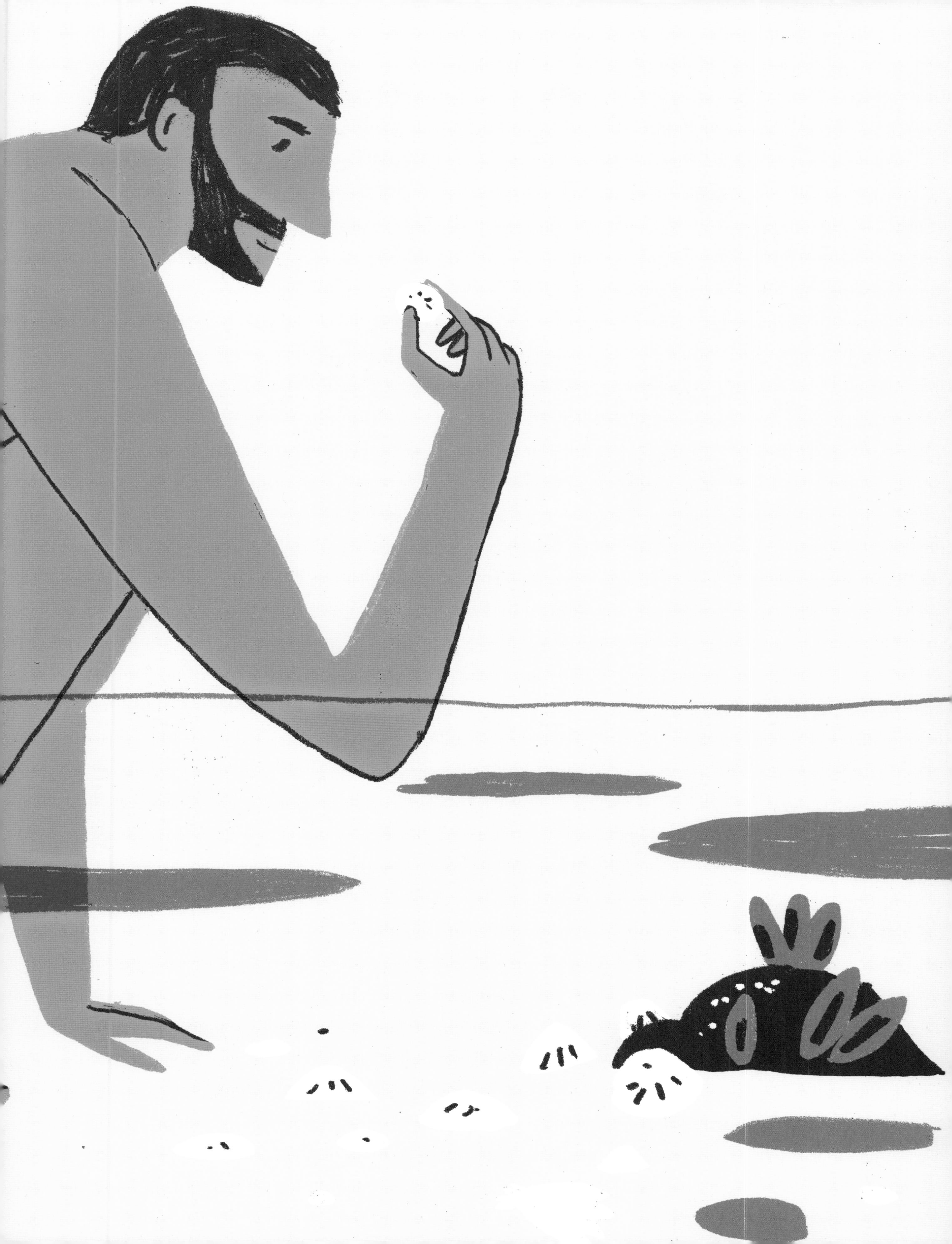

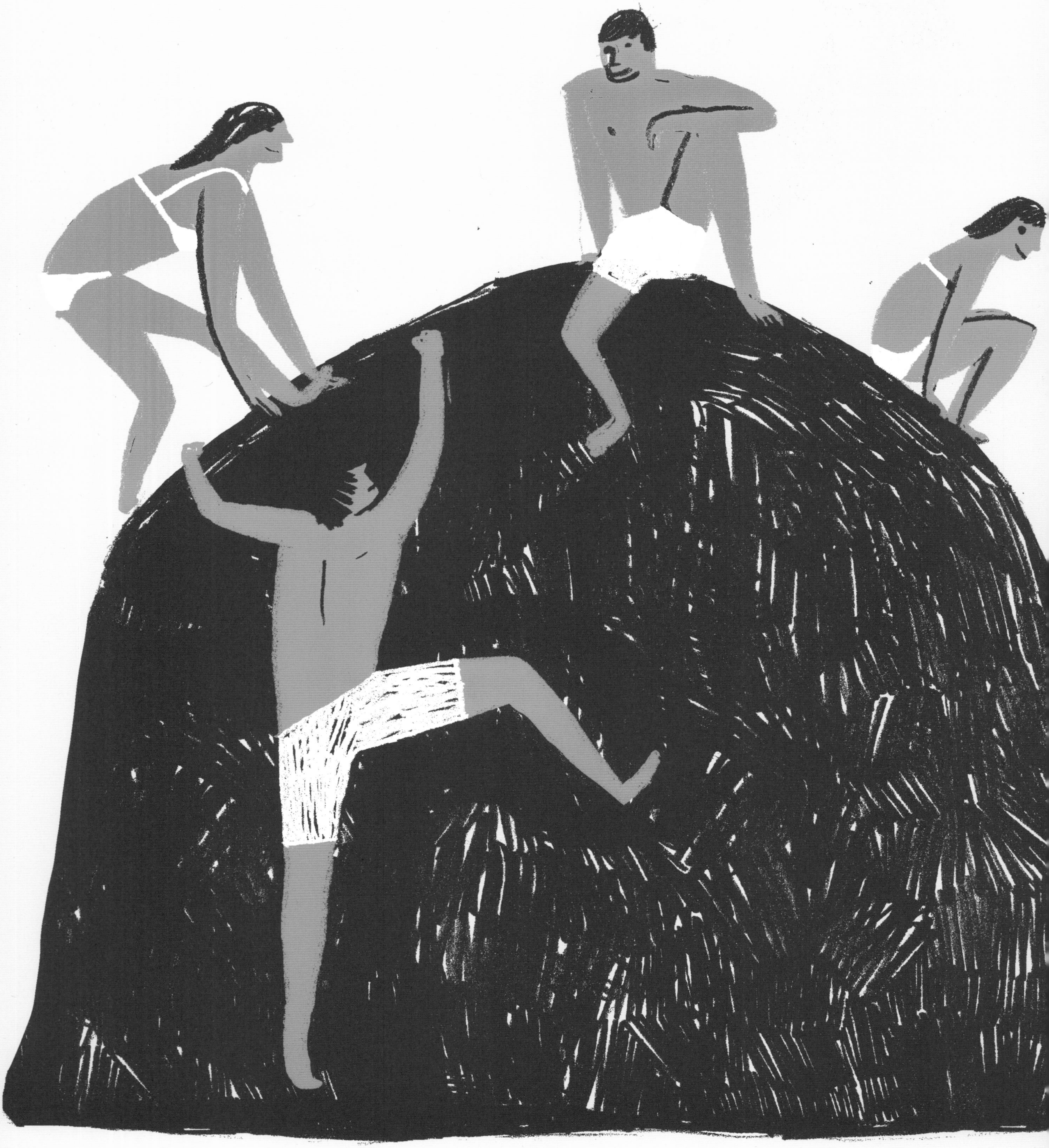

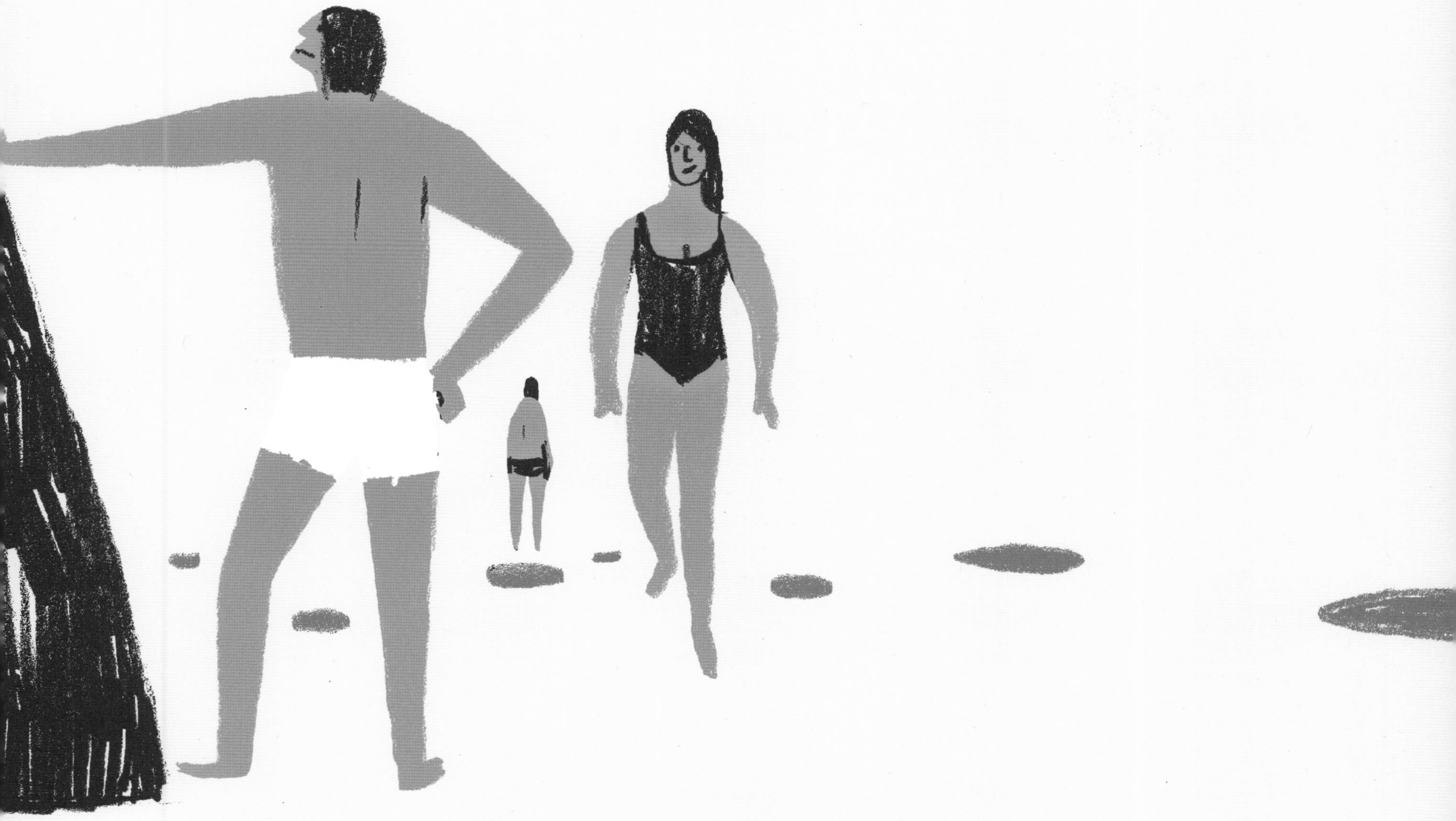

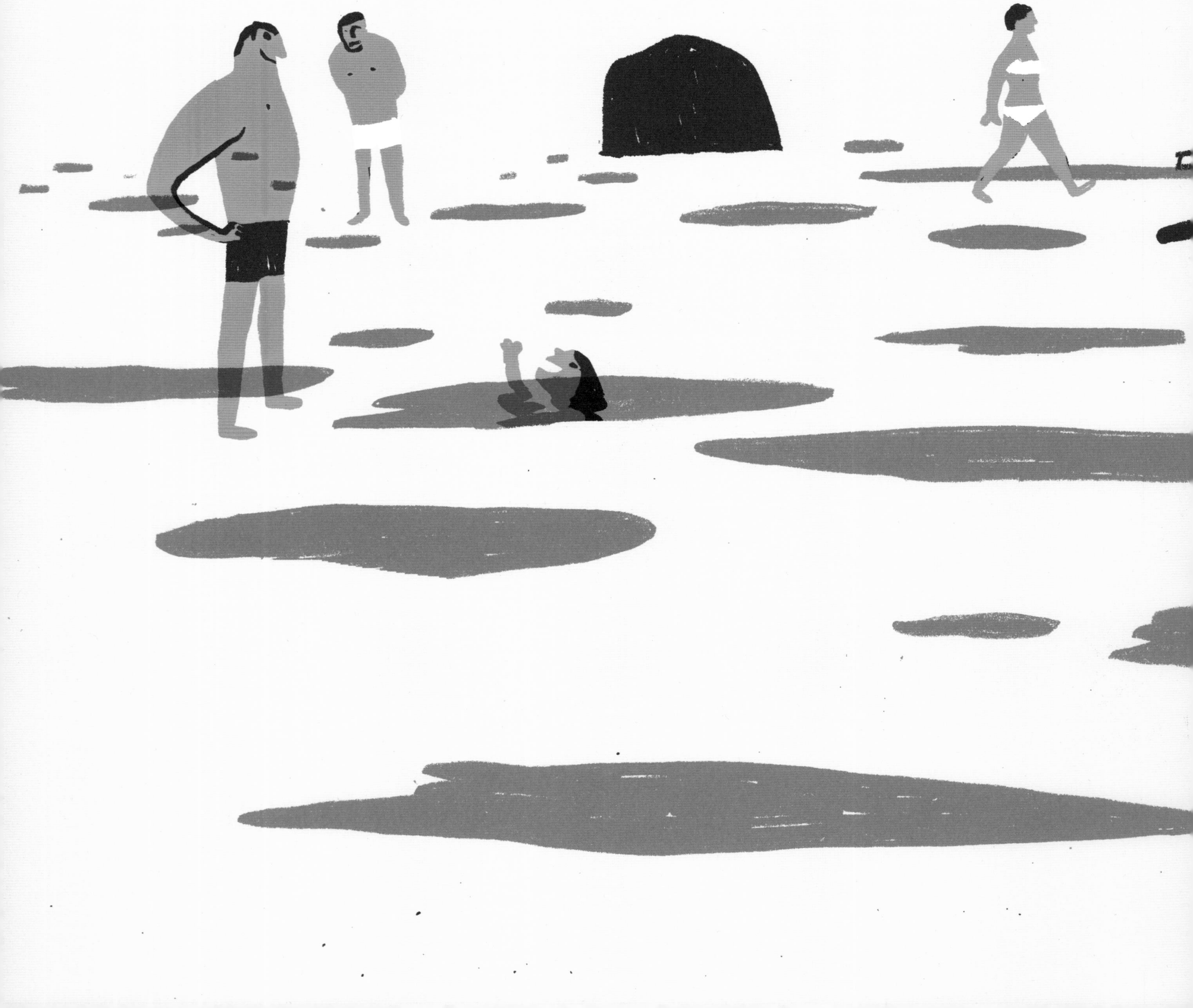

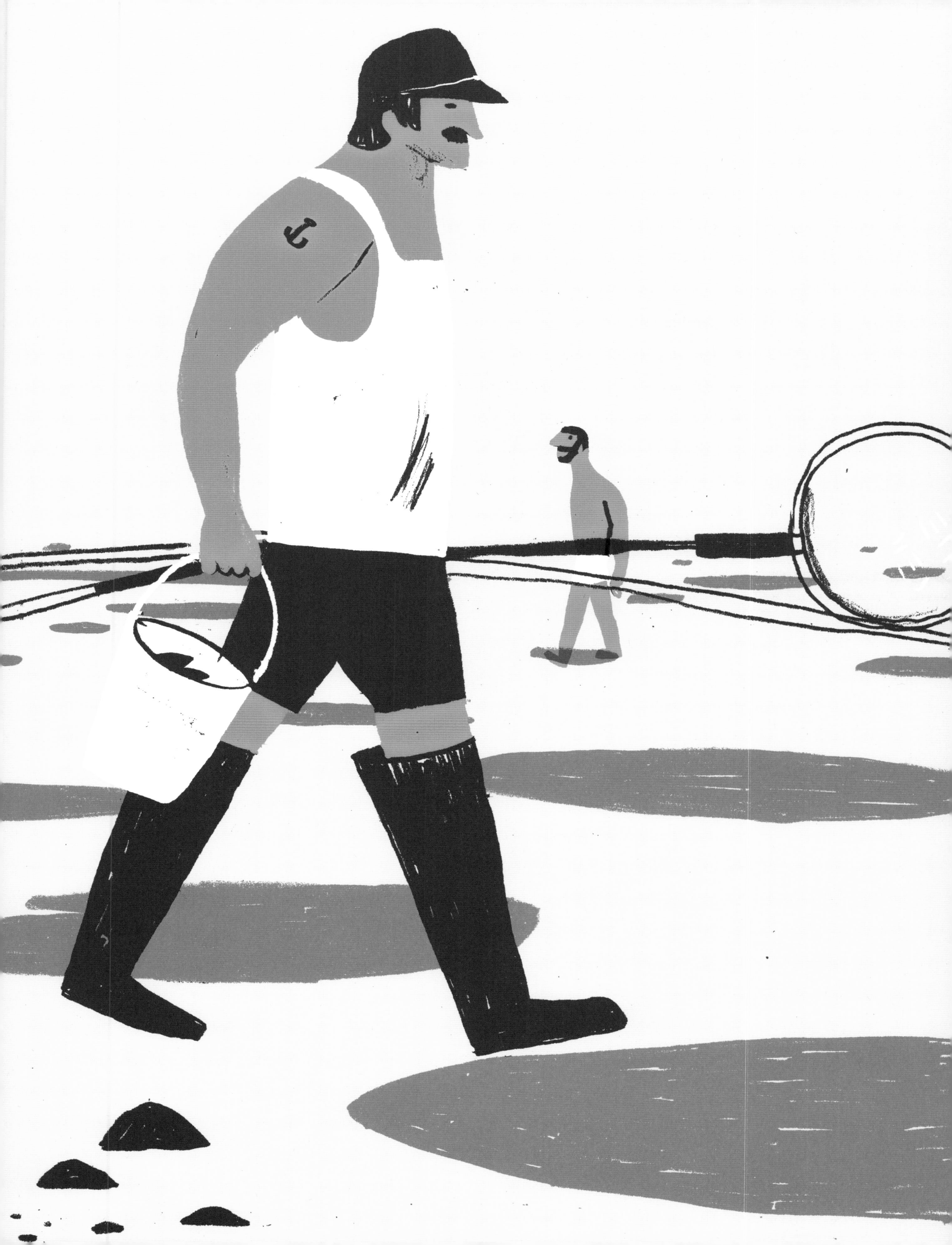

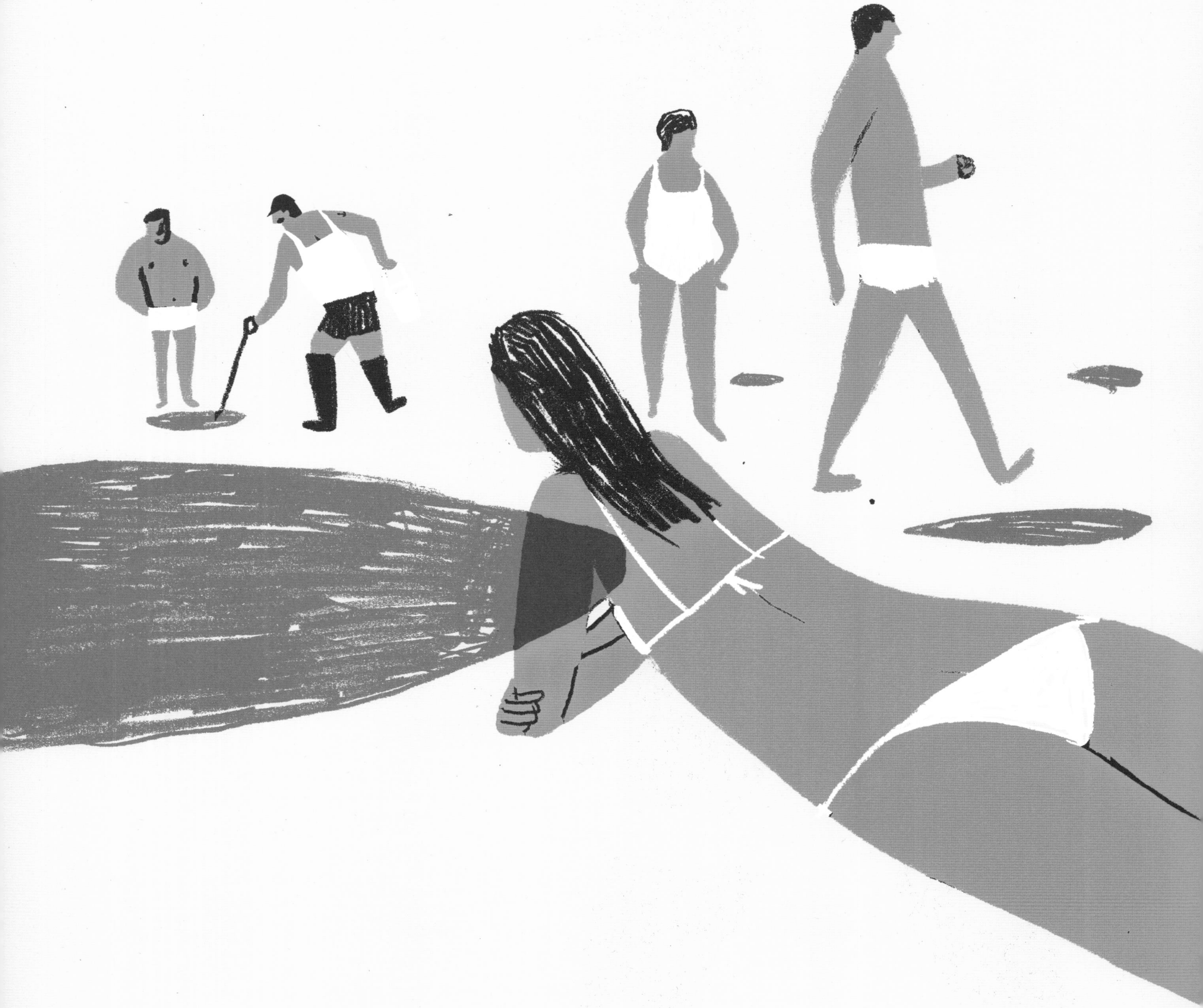

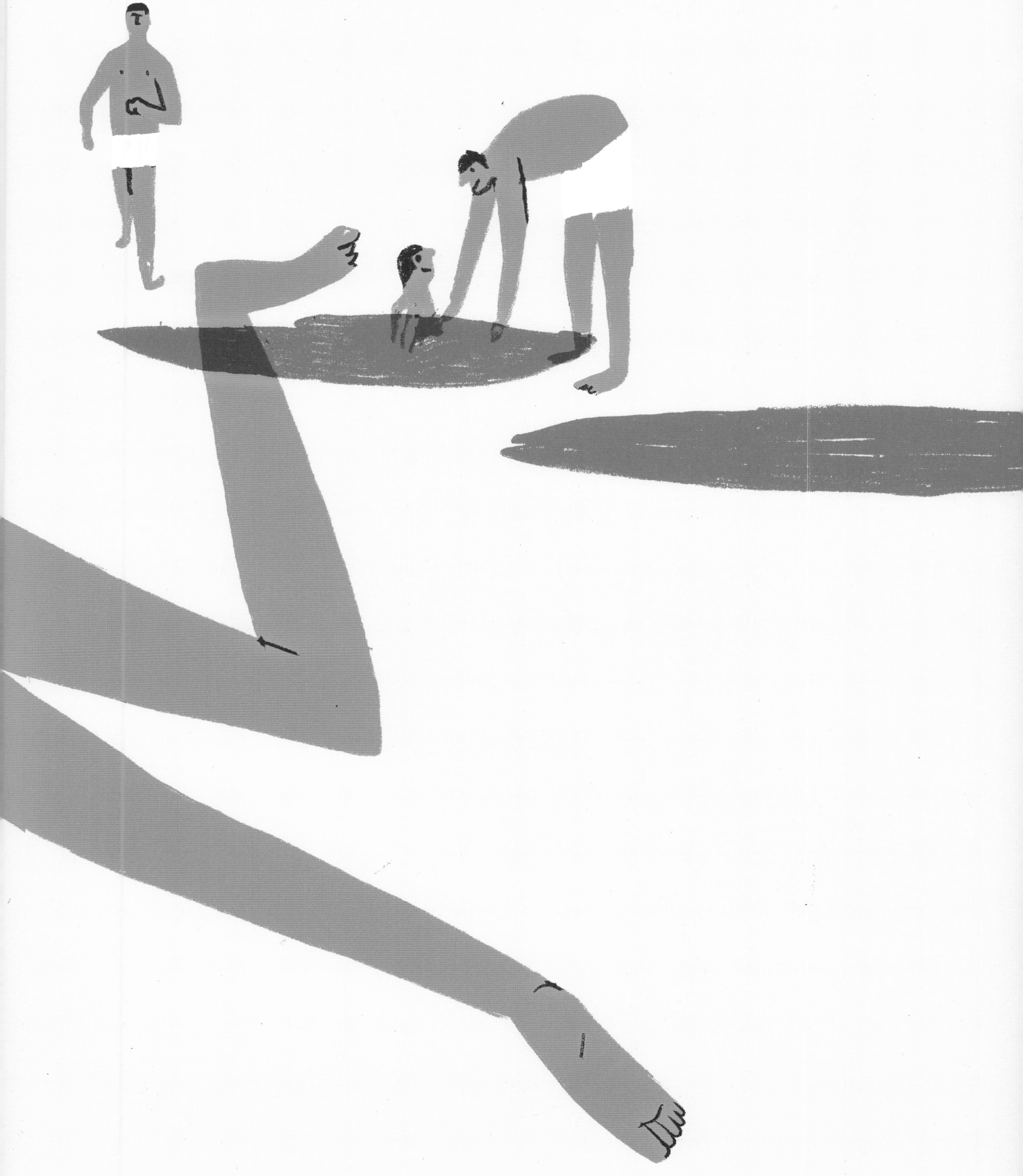

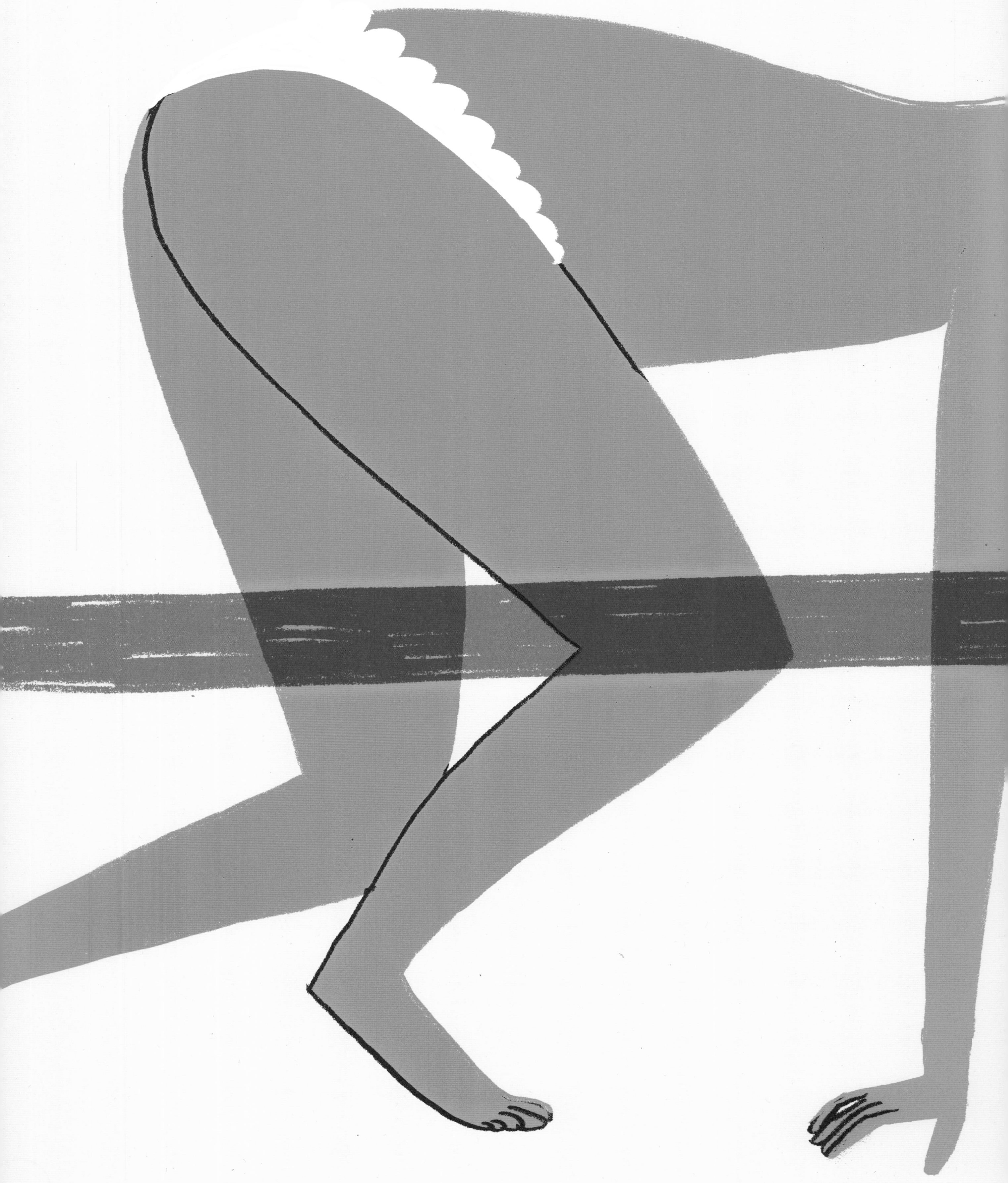

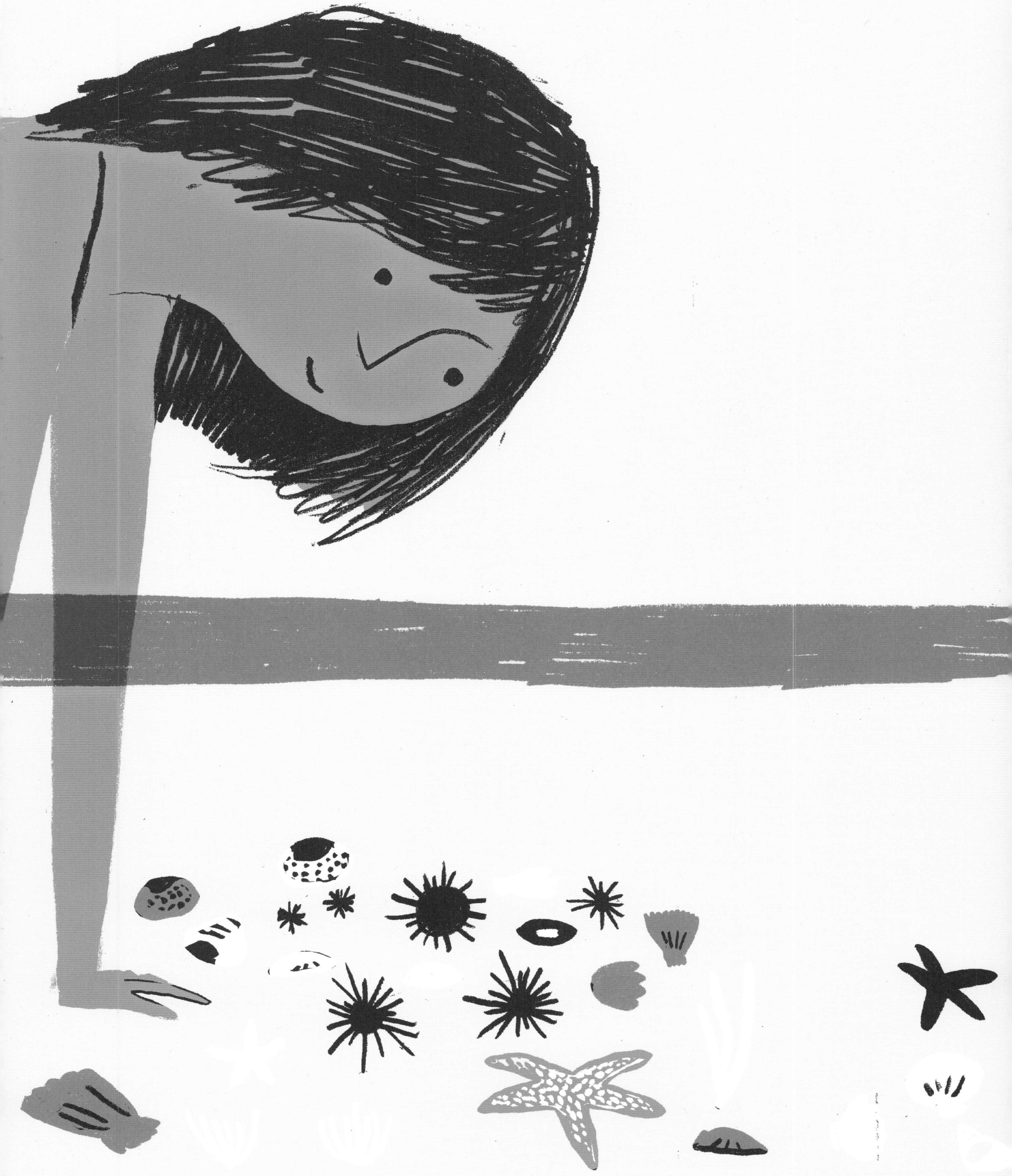

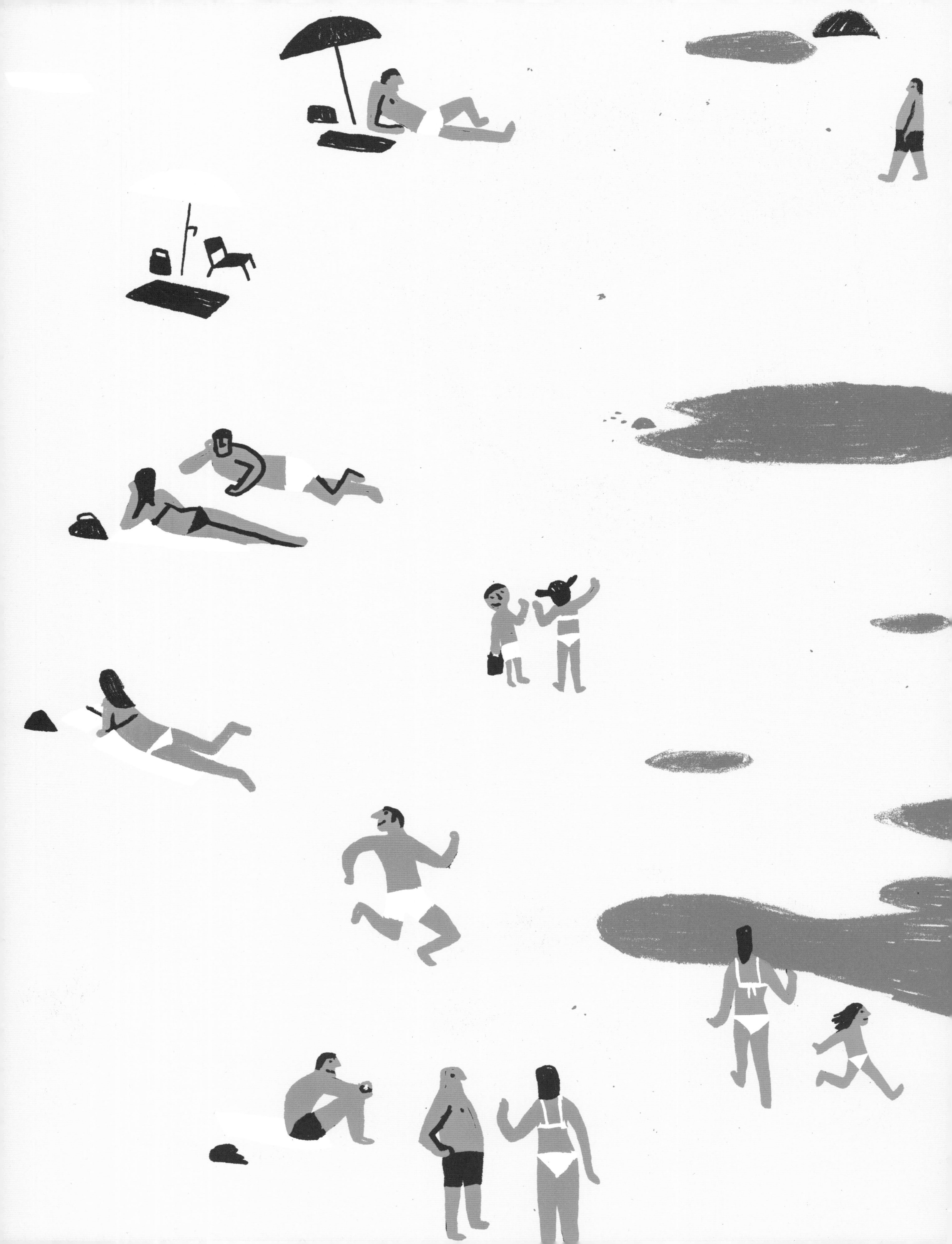

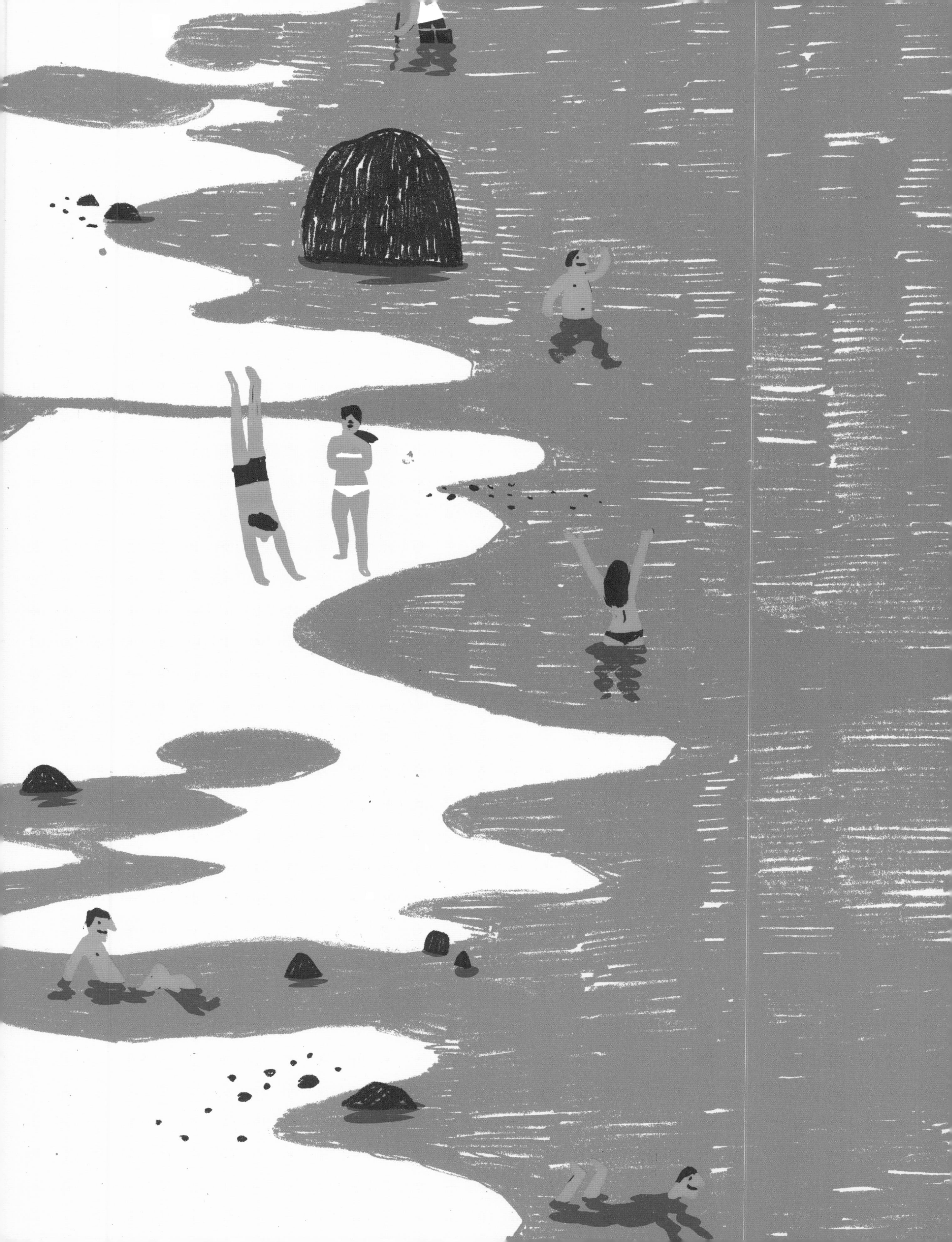

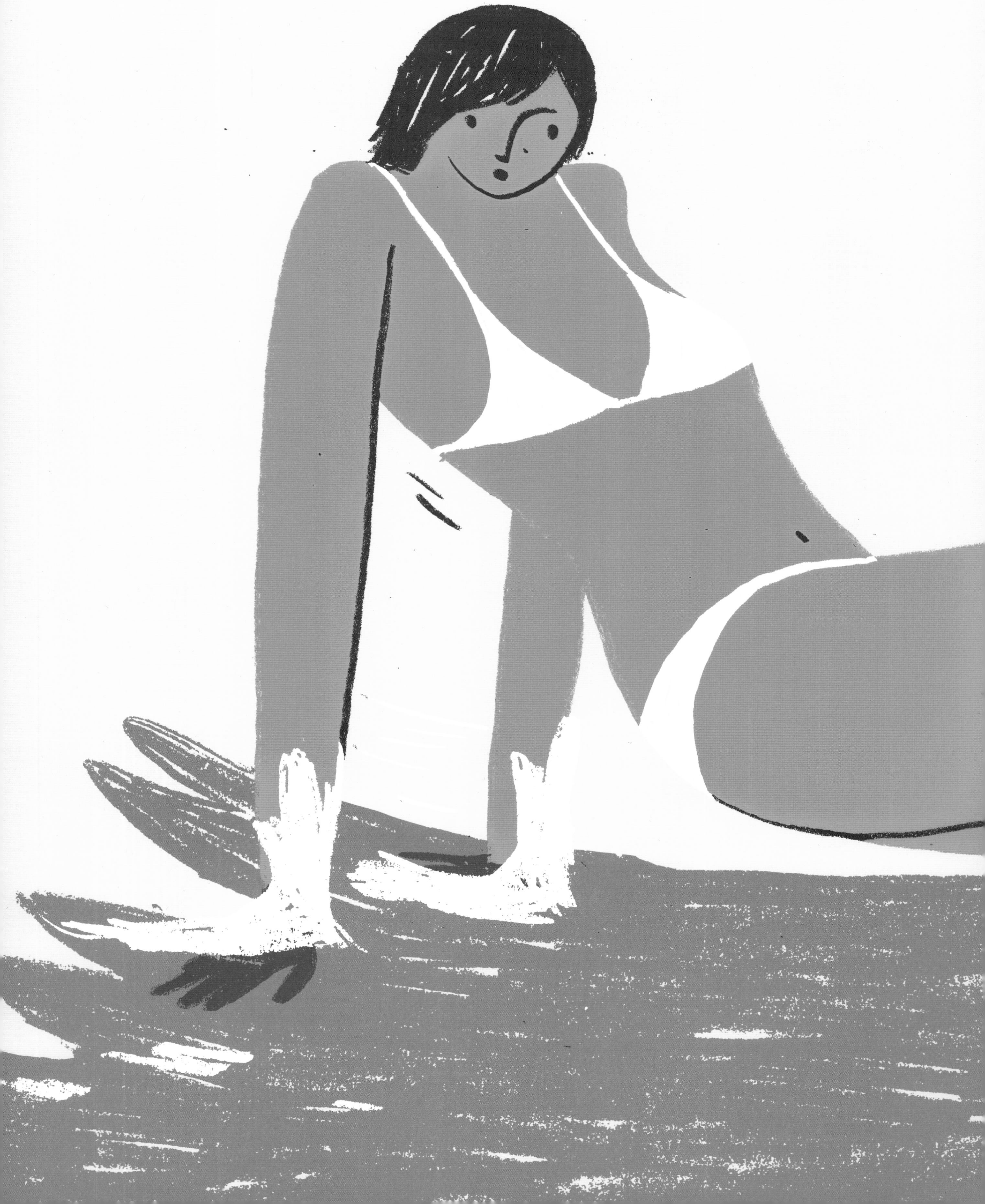

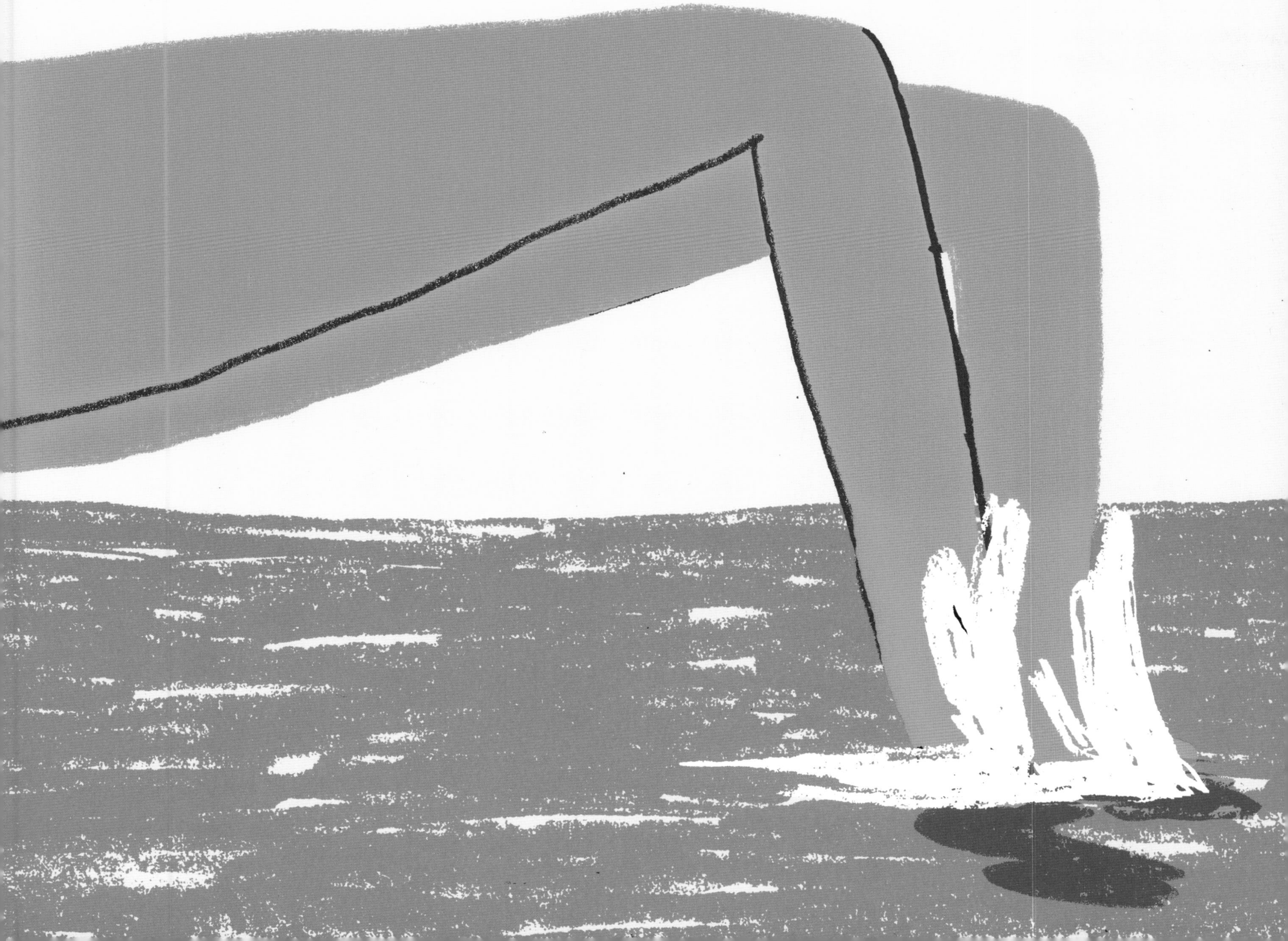

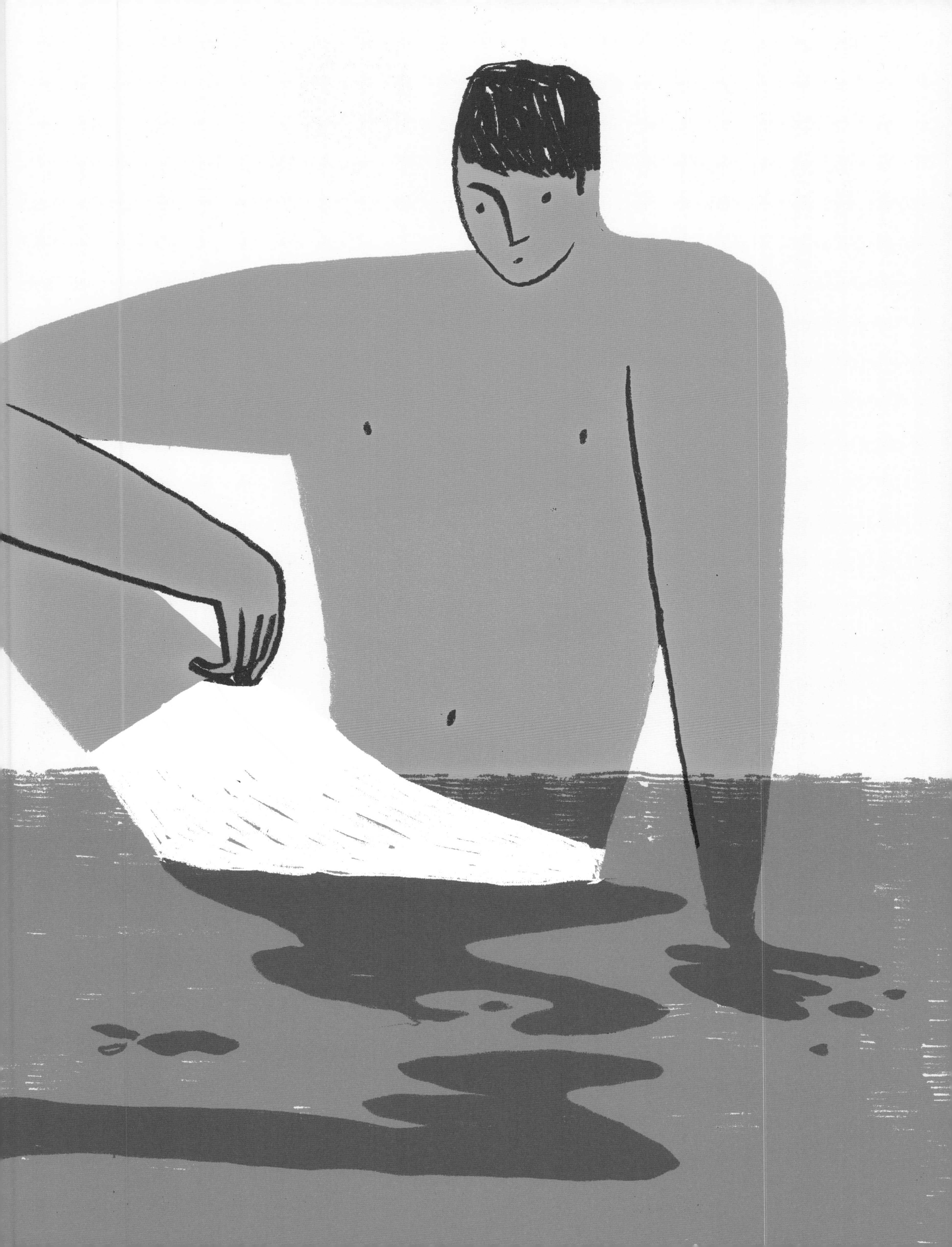

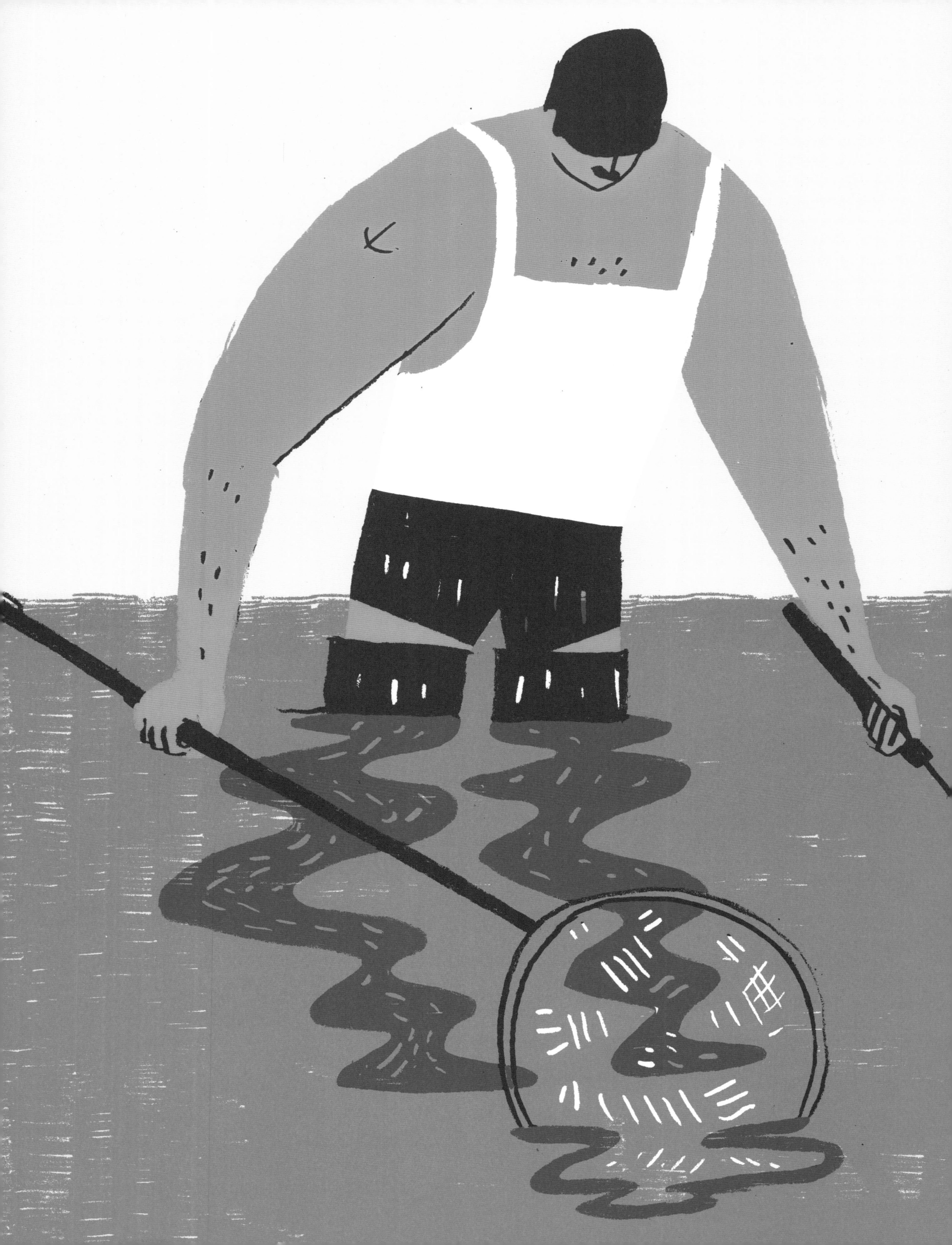

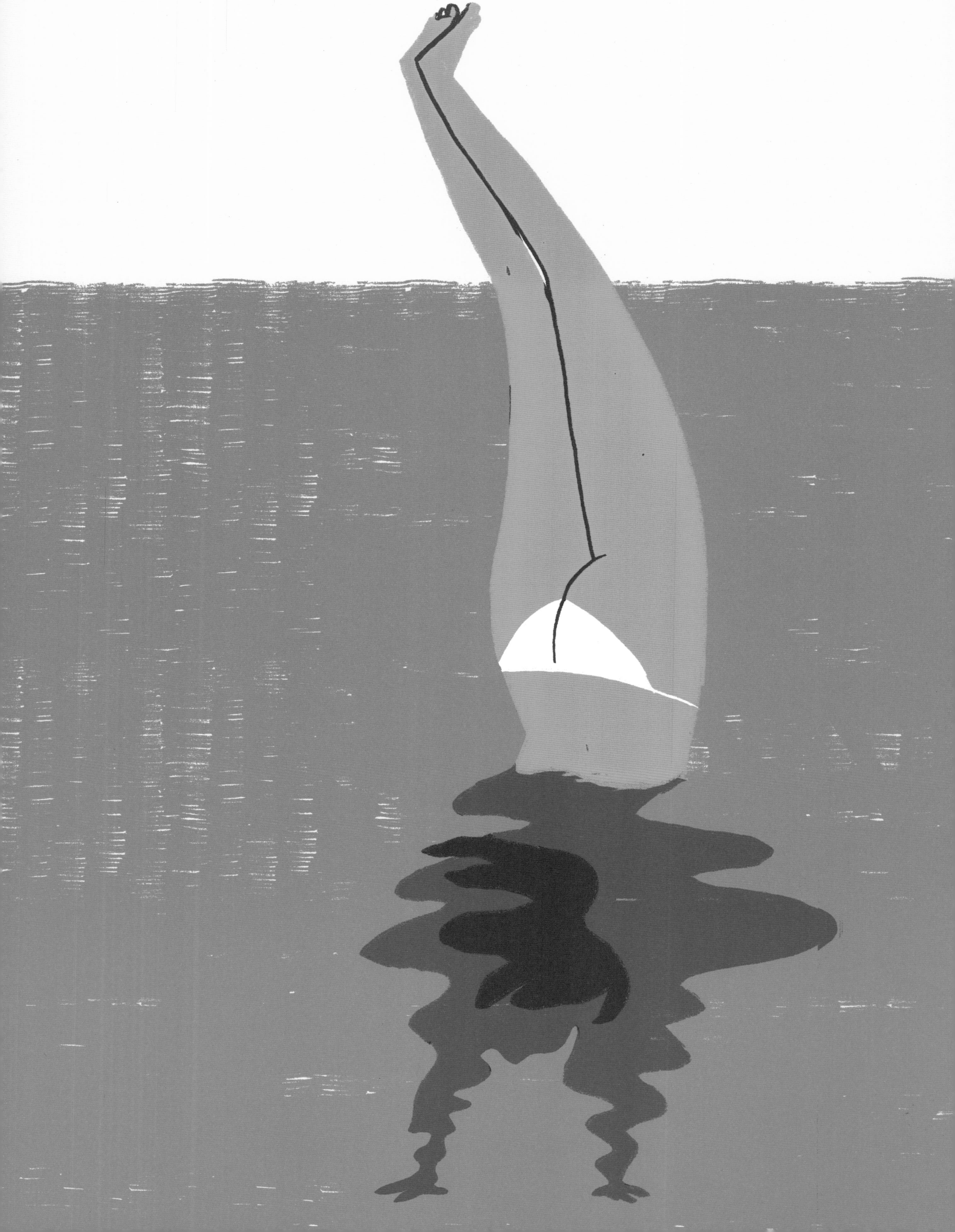

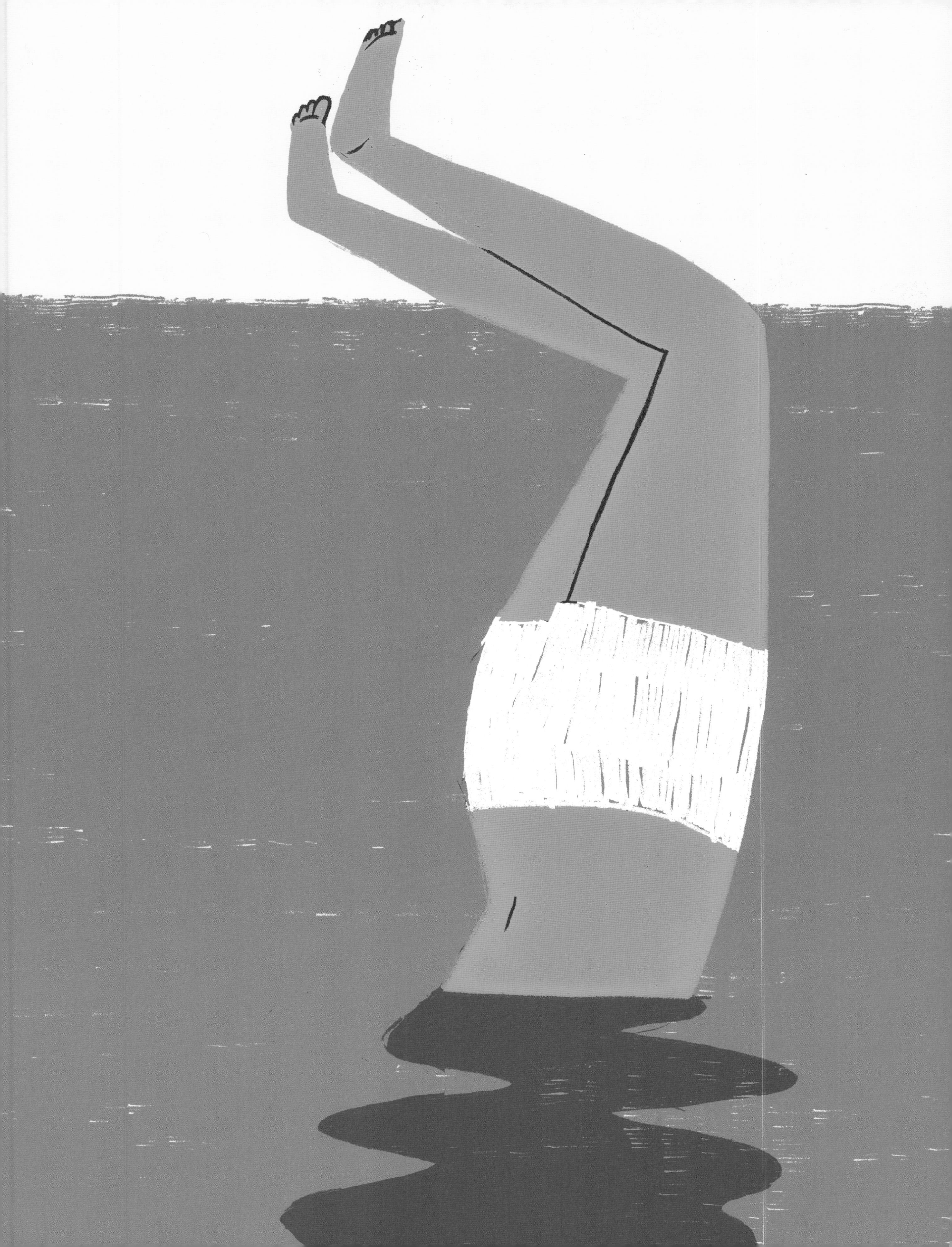

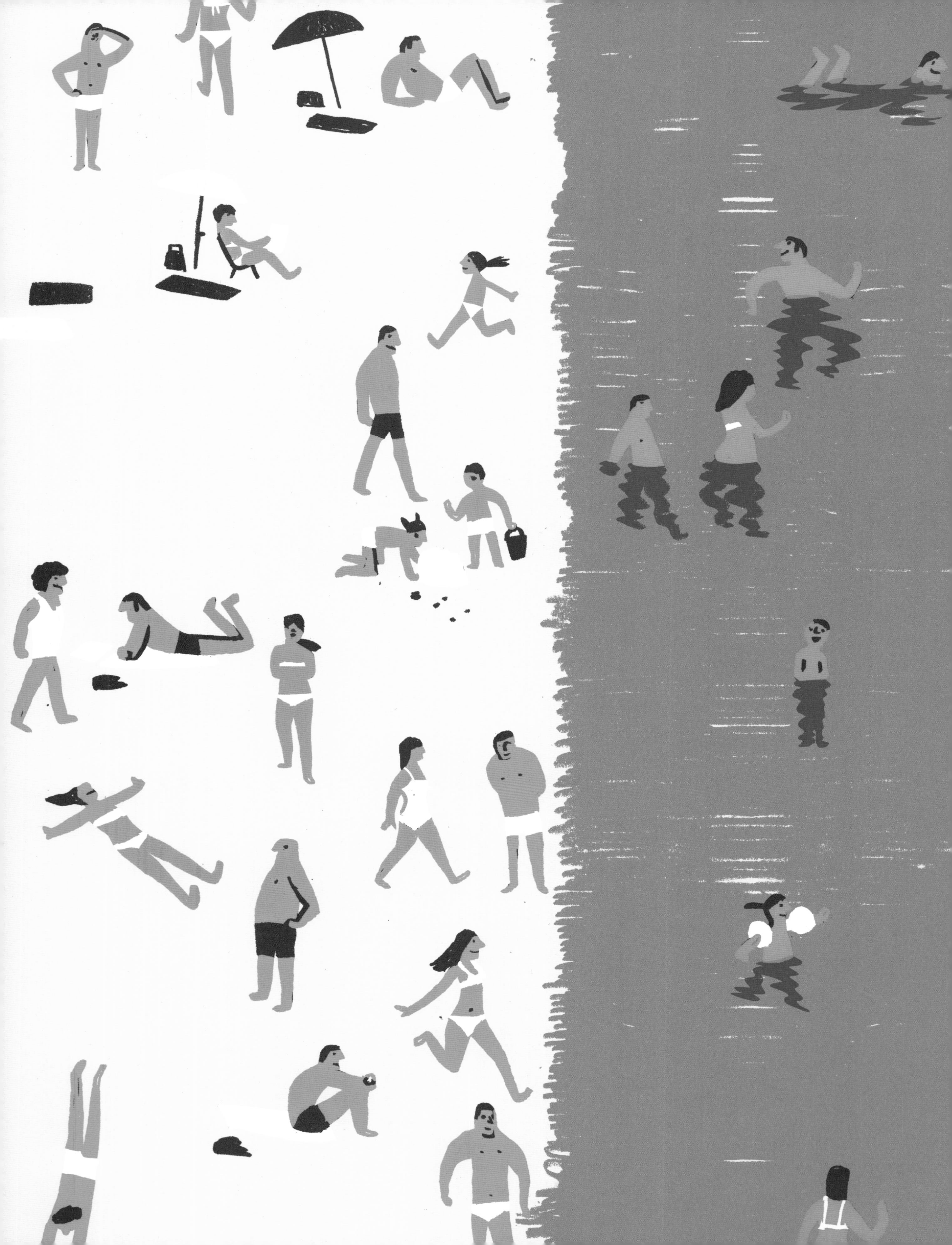

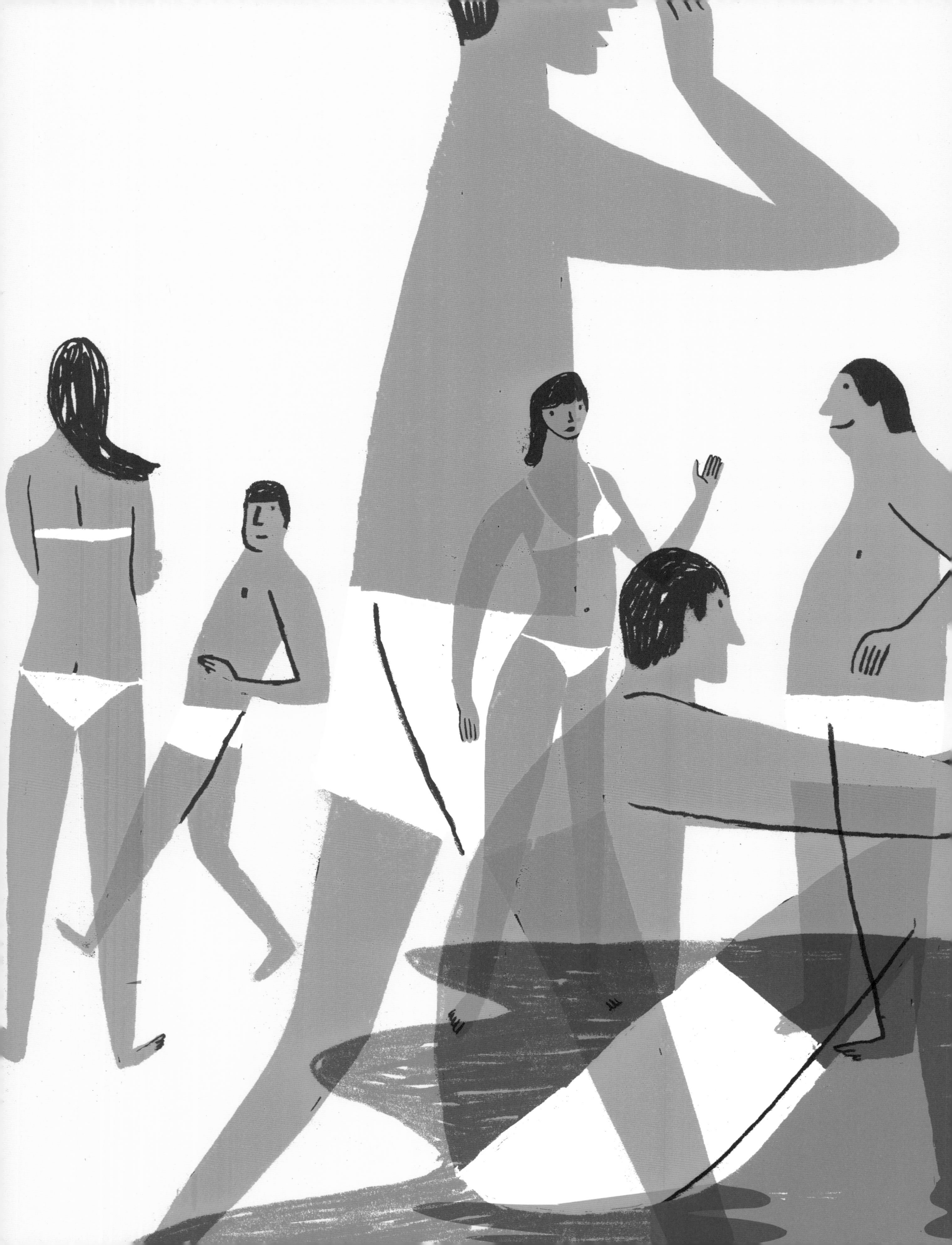

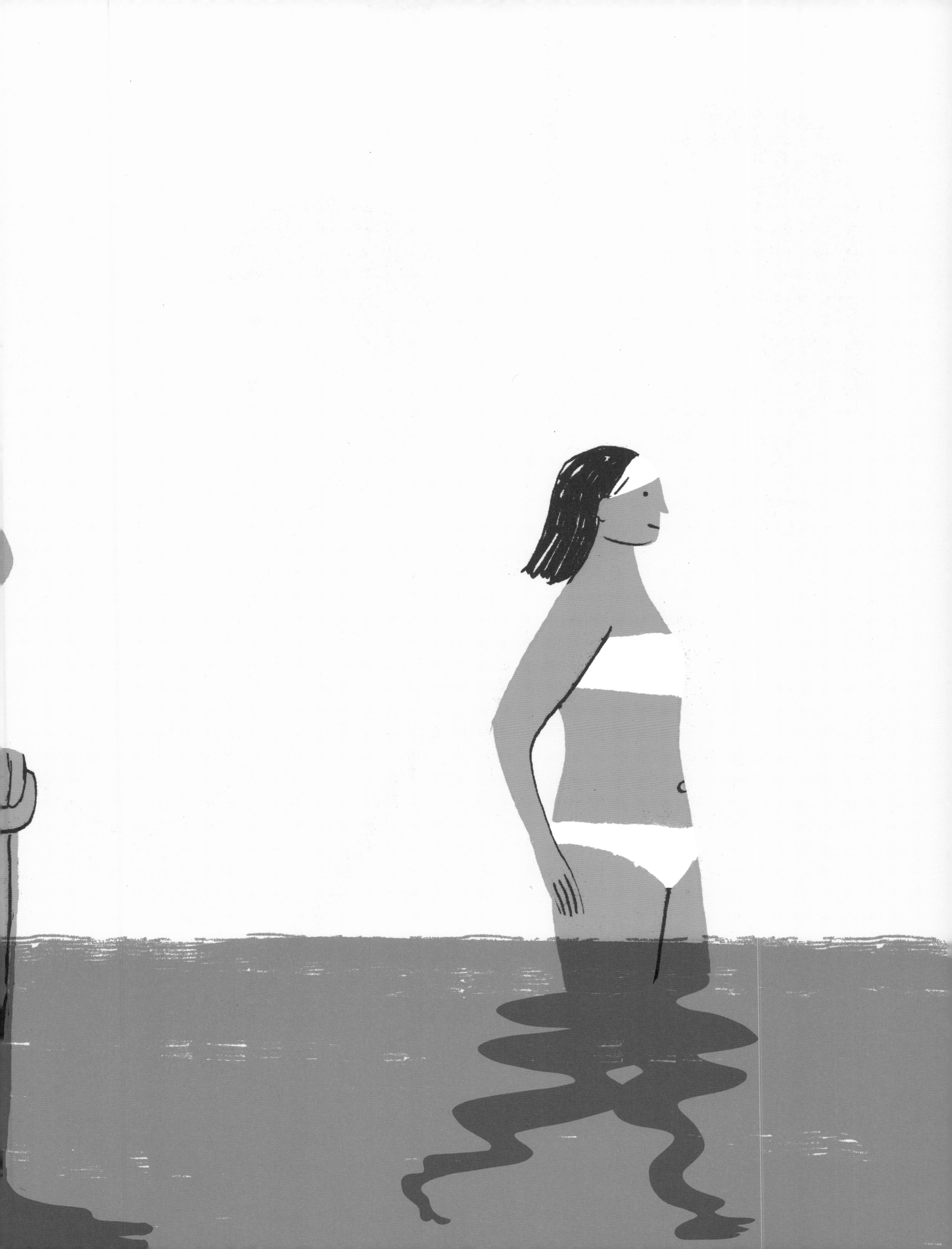

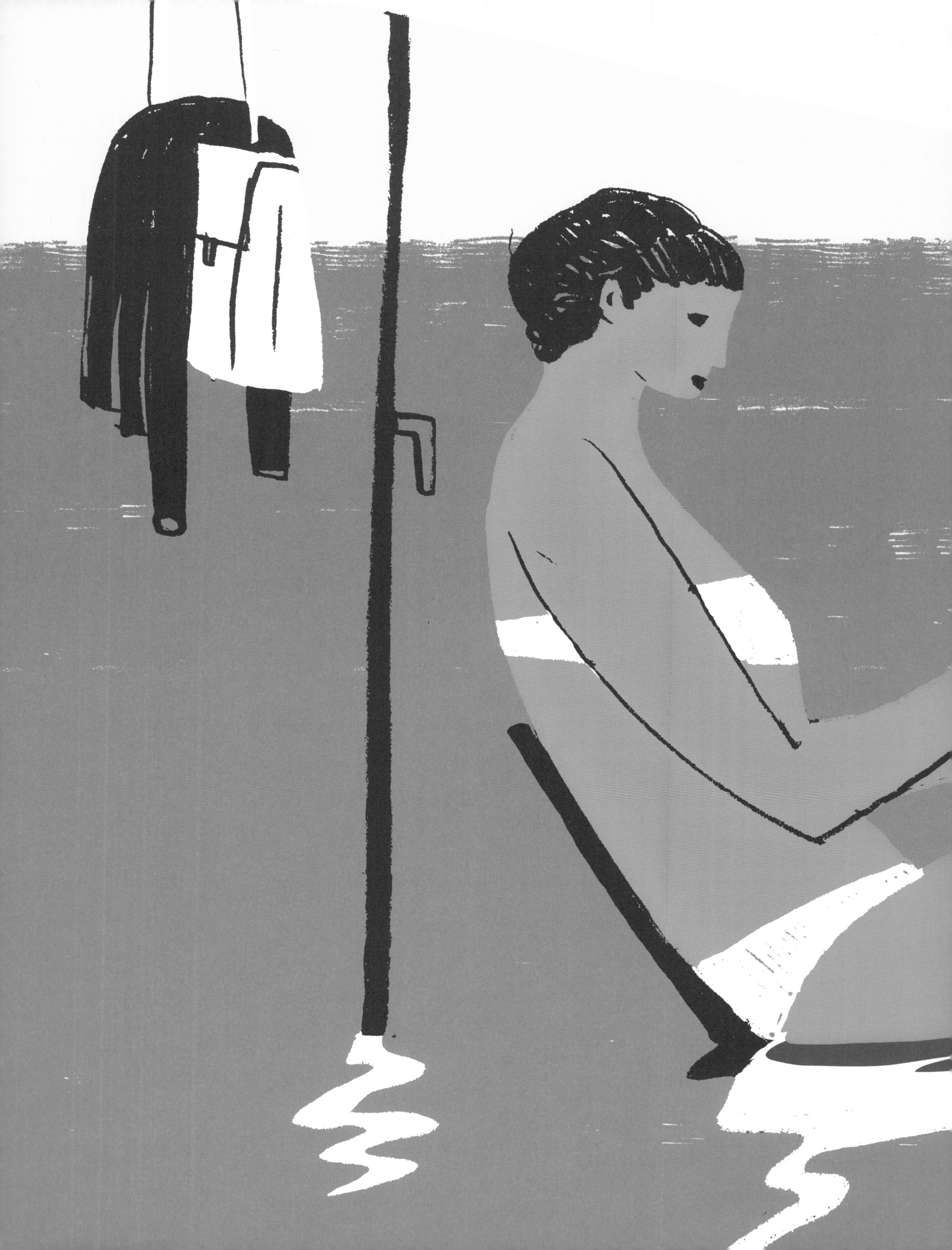

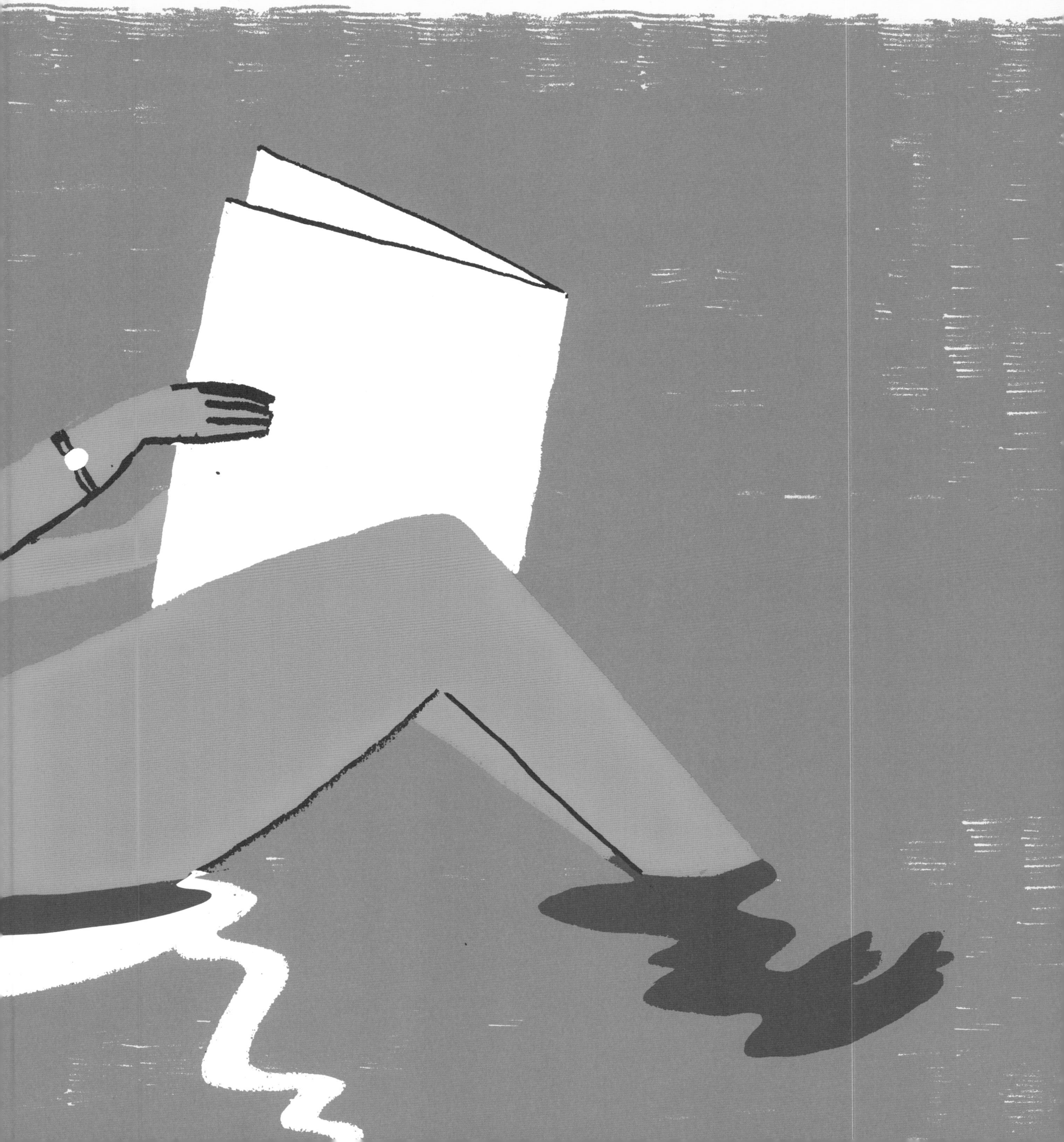

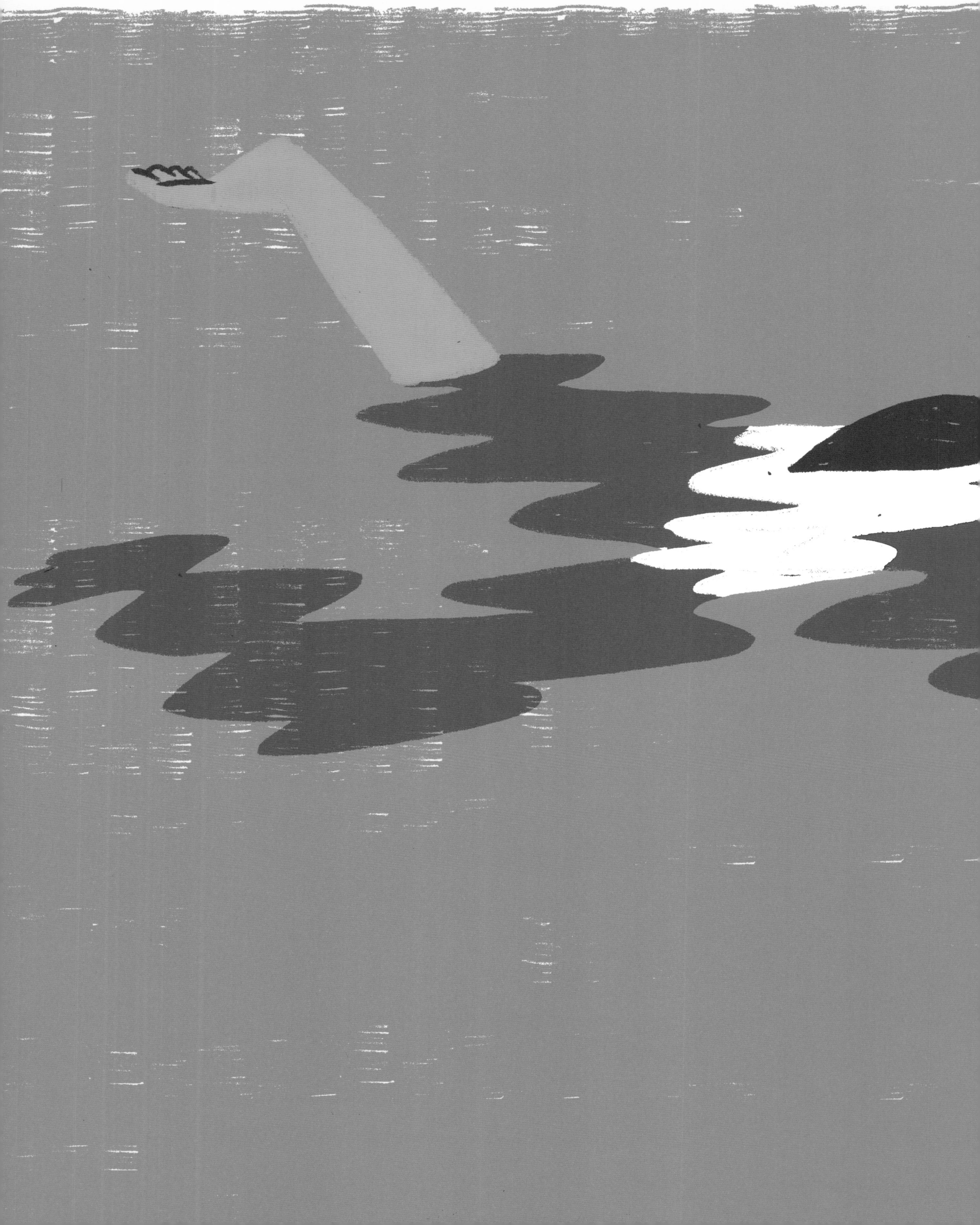

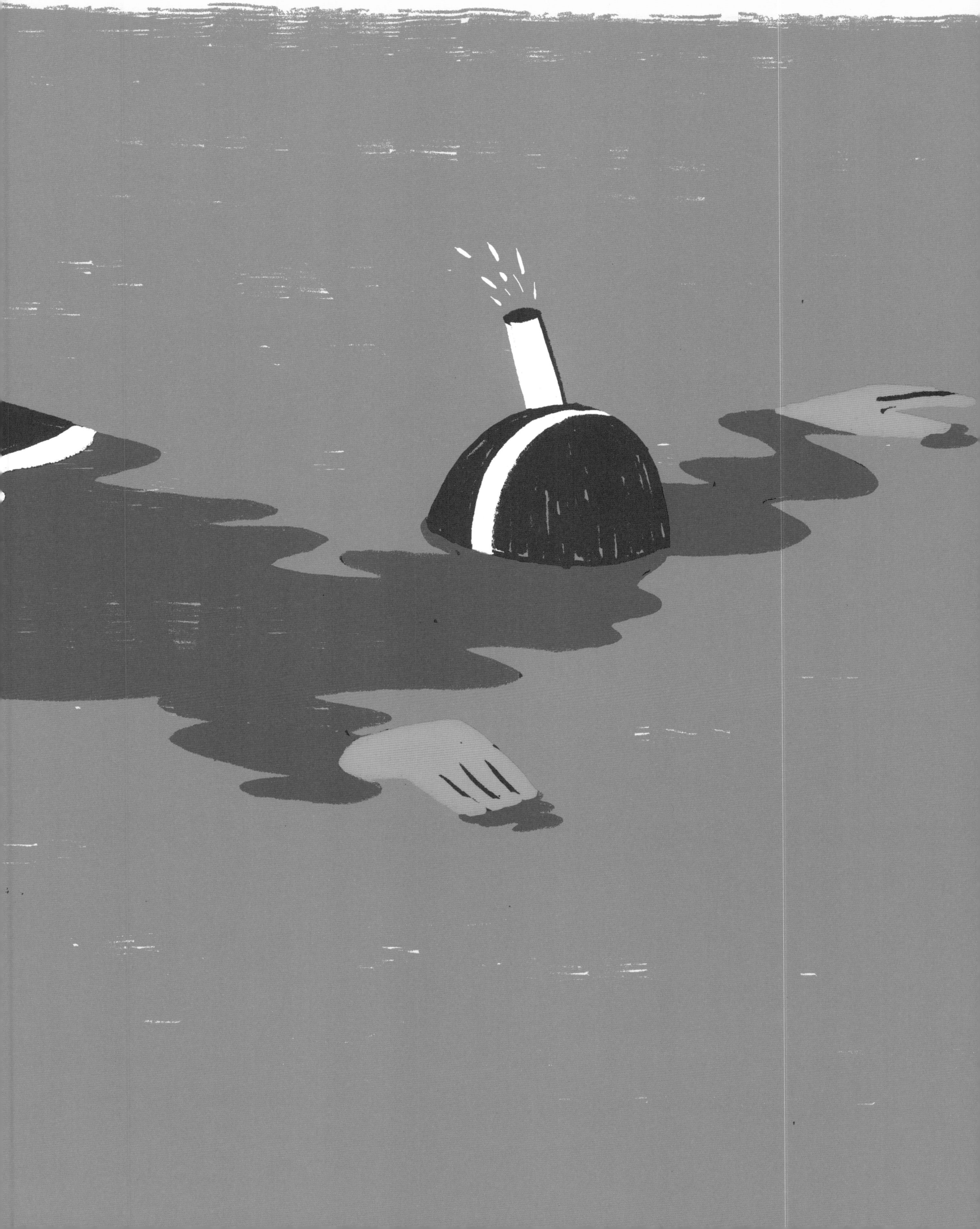

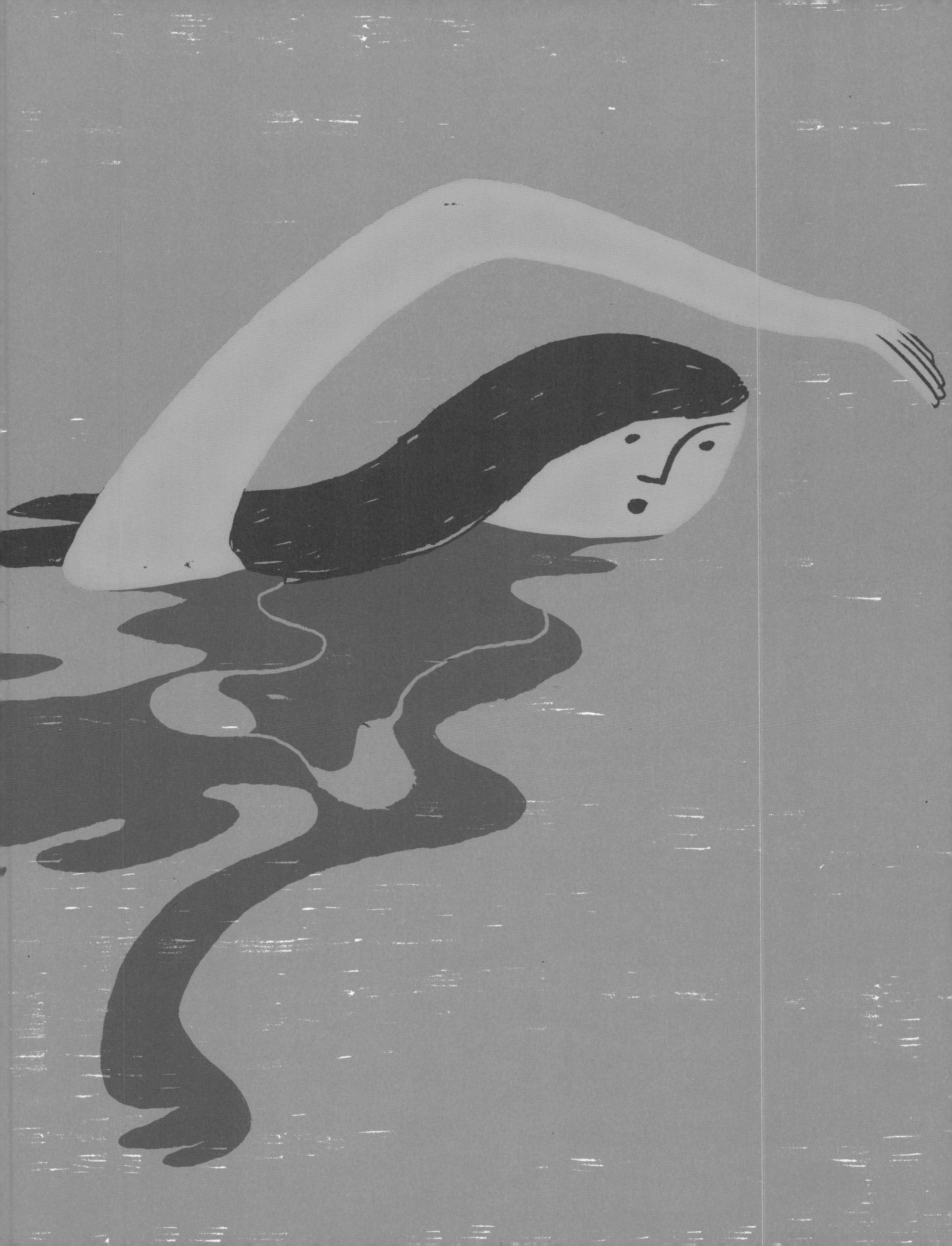

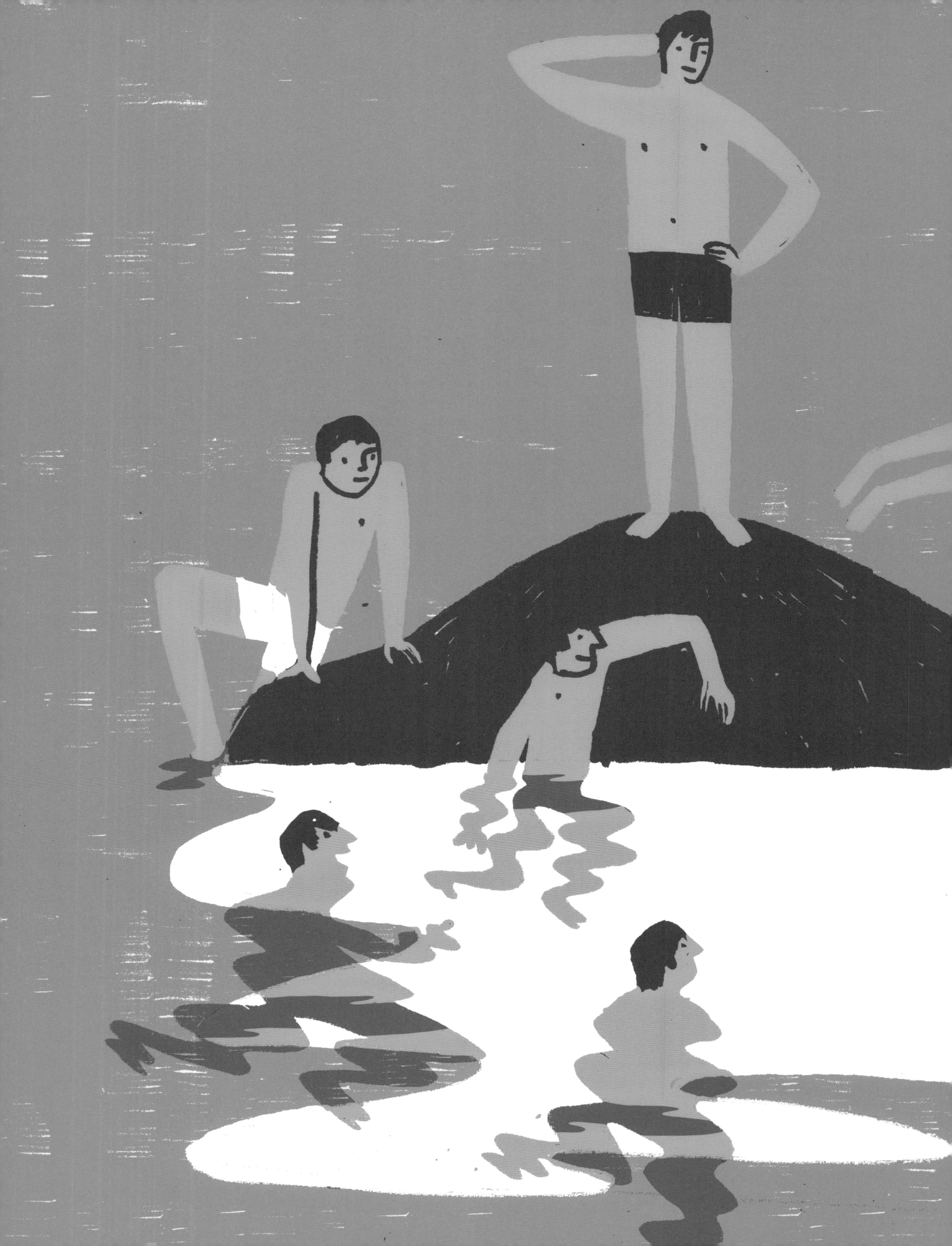

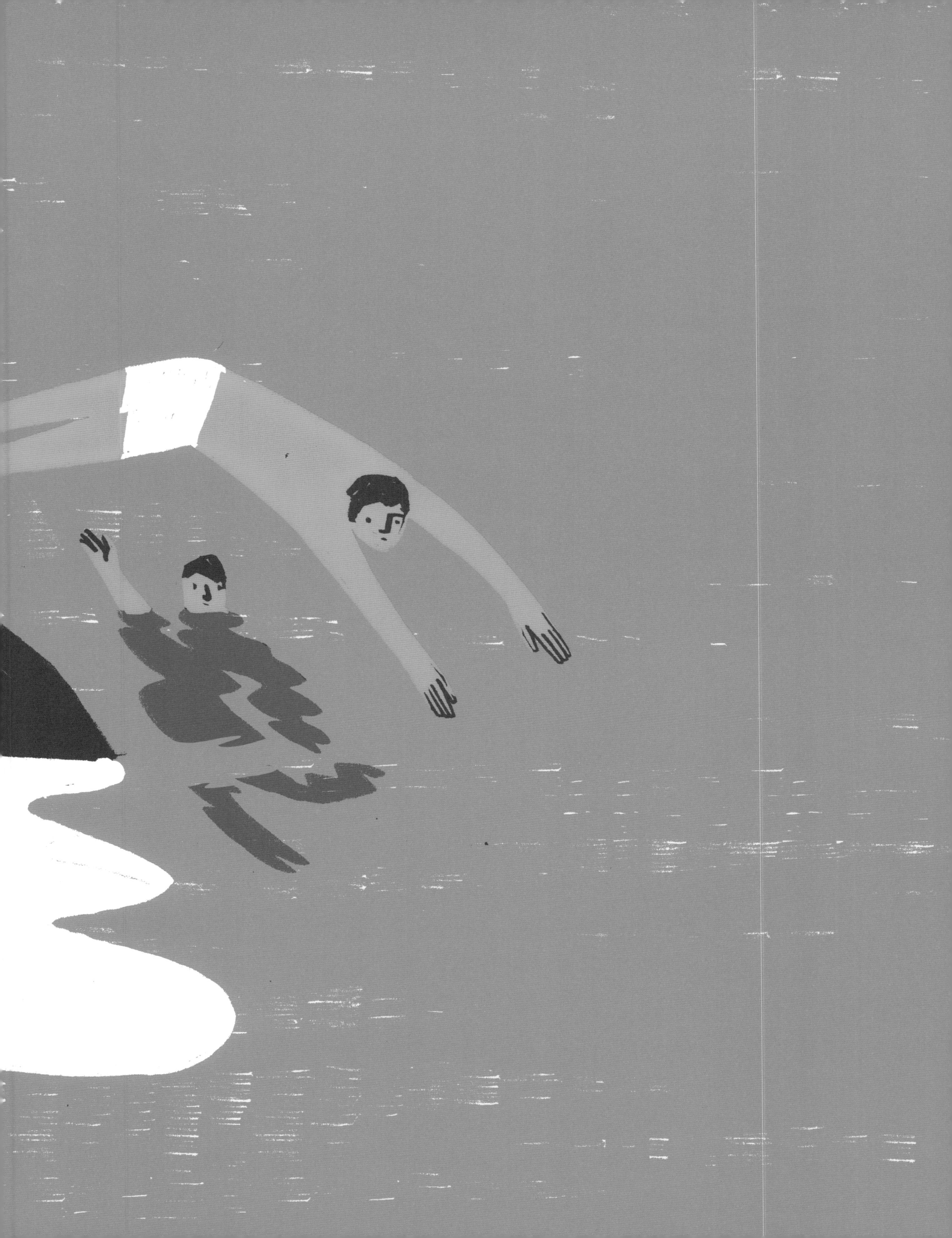

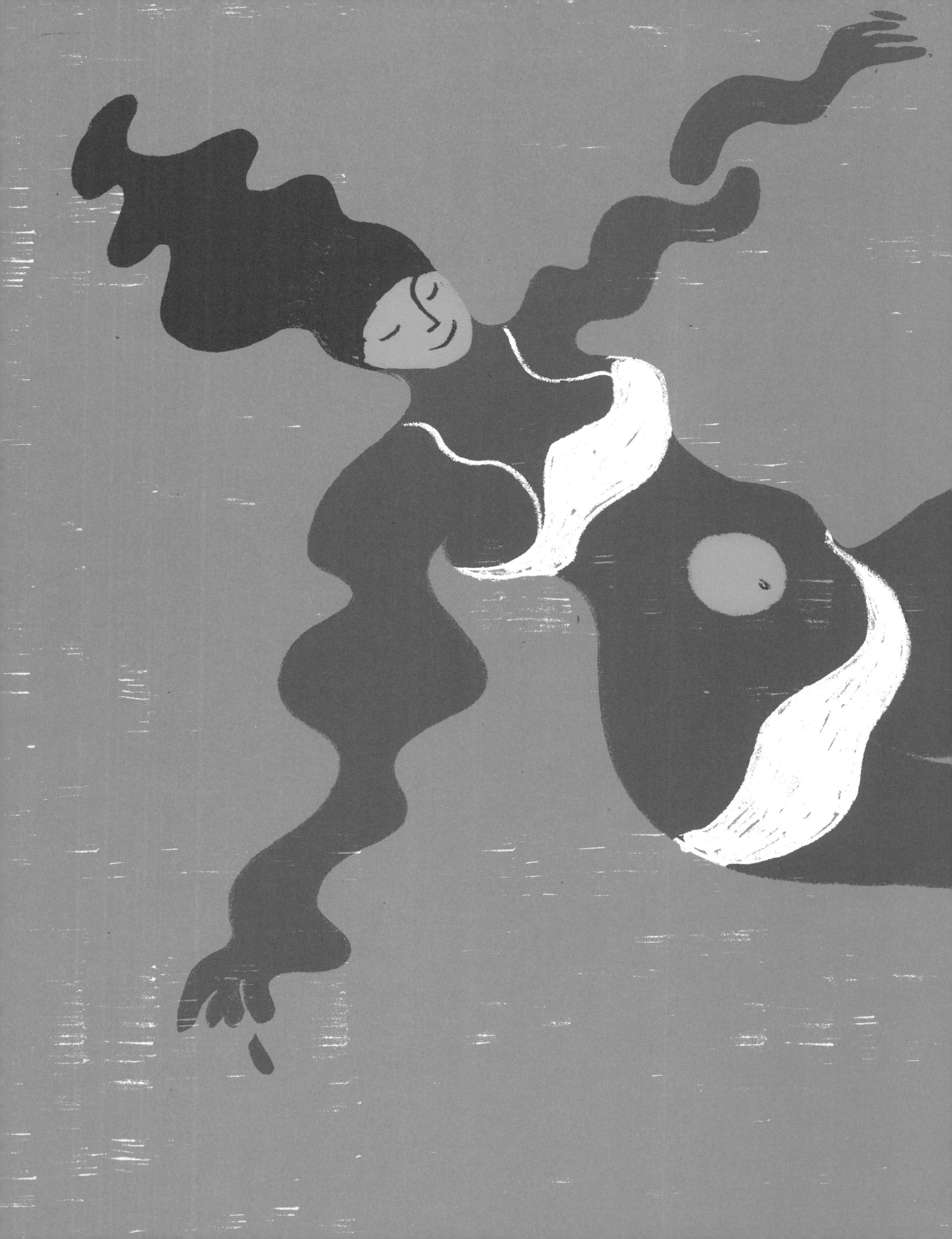

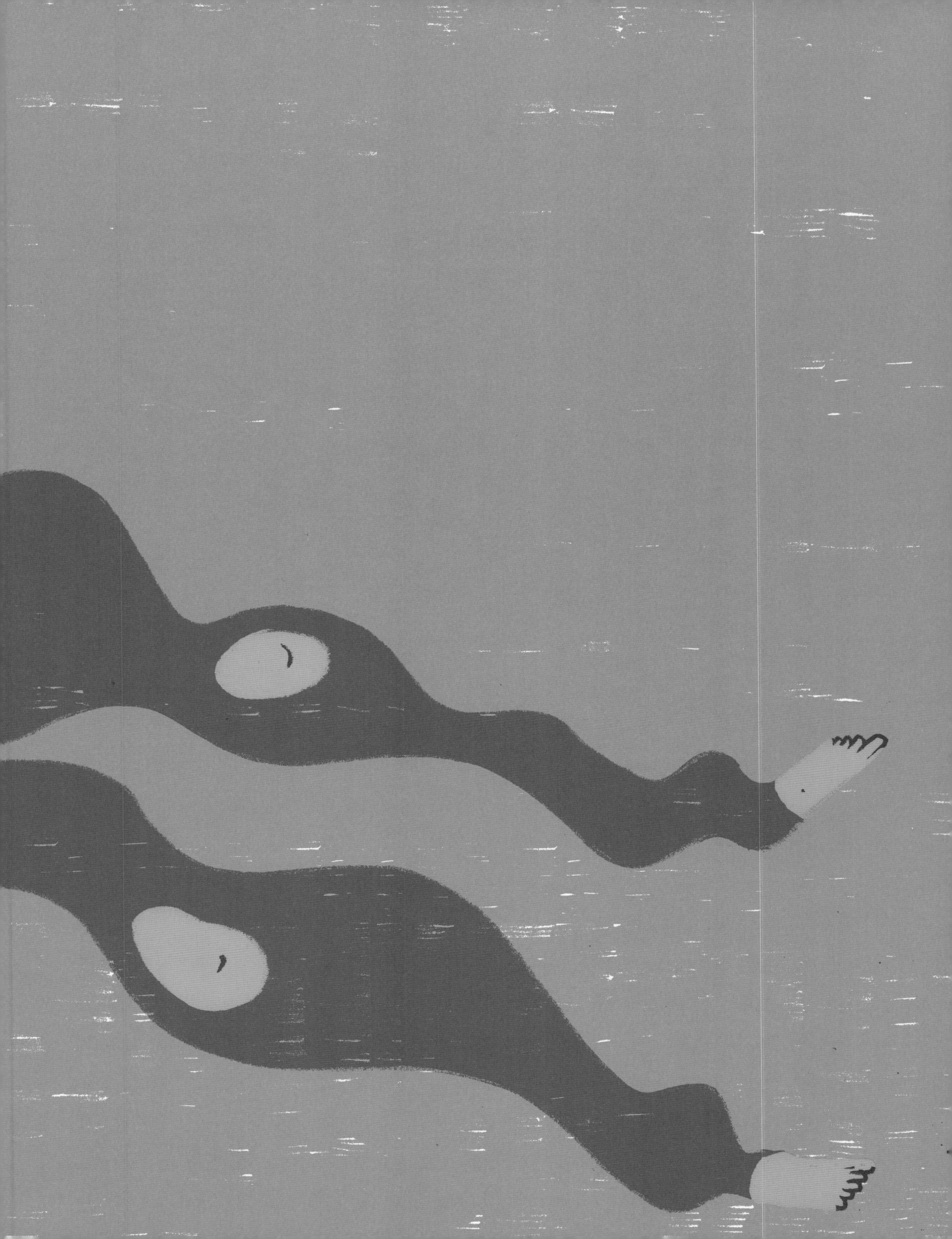

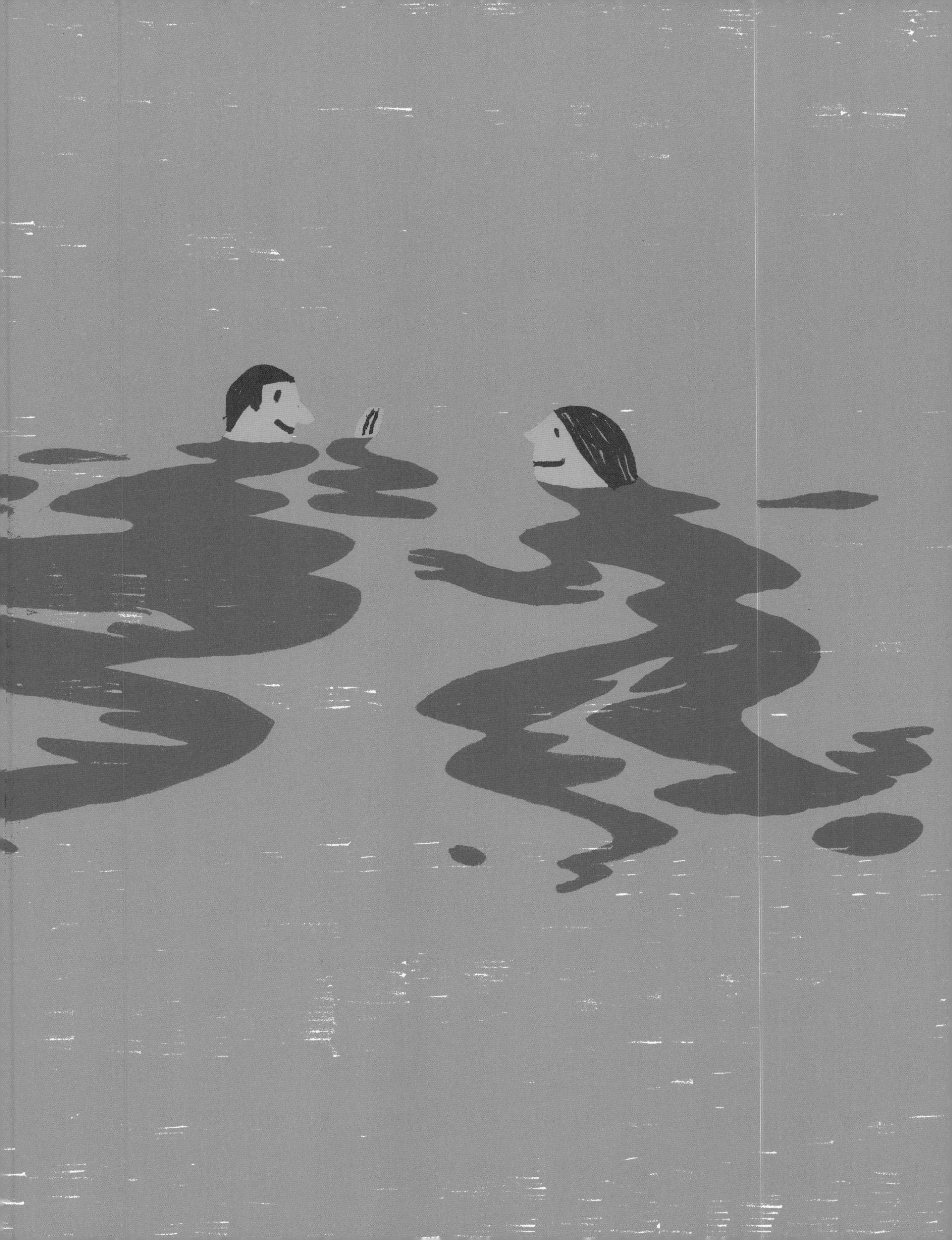

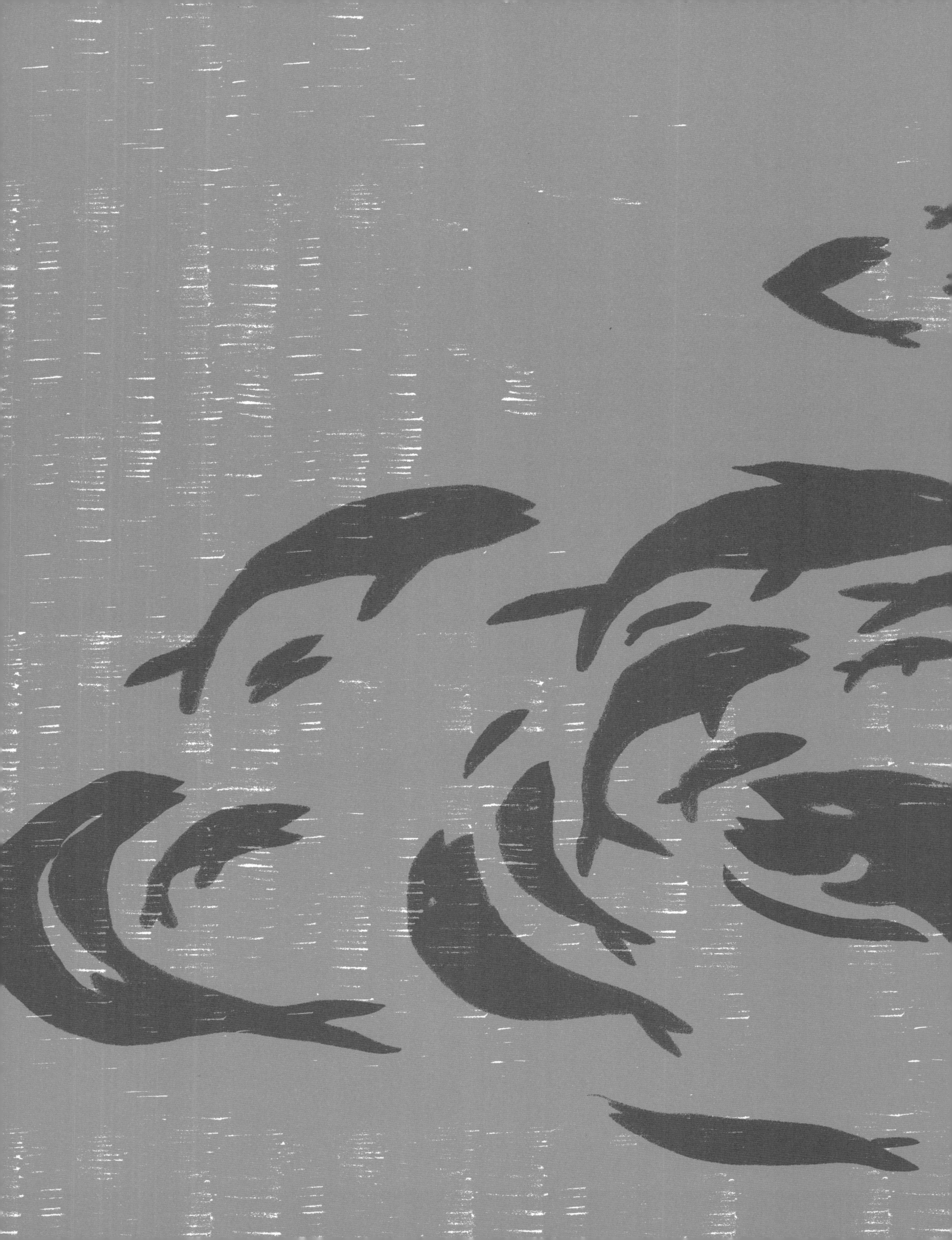